V&R

Novum Testamentum et Orbis Antiquus /
Studien zur Umwelt des Neuen Testaments

Herausgegeben im Auftrag des Departs für Biblische Studien
der Universität Freiburg Schweiz von
Max Küchler, Peter Lampe und Gerd Theißen

Band 62

Vandenhoeck & Ruprecht
Academic Press Fribourg

Taeseong Roh

Der zweite Thessalonicherbrief als Erneuerung apokalyptischer Zeitdeutung

Vandenhoeck & Ruprecht
Academic Press Fribourg

Für
Jaeeun und Jaedok

Mit 9 Abbildungen

Bibliografische Information der Deutschen Nationalbibliothek

Die Deutsche Nationalbibliothek verzeichnet diese Publikation in der Deutschen Nationalbibliografie; detaillierte bibliografische Daten sind im Internet über http://dnb.d-nb.de abrufbar.

ISBN 978-3-525-53963-7 (Vandenhoeck & Ruprecht)
ISBN 978-3-7278-1579-9 (Academic Press)

Printed in Germany.
Gesamtherstellung: Hubert & Co, Göttingen

Gedruckt auf alterungsbeständigem Papier.

Vorwort

Die vorliegende Arbeit ist hauptsächlich zwischen 2001 und 2004 entstanden. Zu ihrer Entstehung haben viele beigetragen. Ihnen allen bin ich zu großem Dank verpflichtet. An erster Stelle zu nennen ist mein verehrter Lehrer Prof. Dr. Gerd Theißen, der das Thema vorgeschlagen und mit vielen Anregungen und Ermutigungen die Arbeit begleitet hat. Ohne seine tatkräftige Hilfe wäre diese Arbeit nicht zustandegekommen. Mir persönlich war und ist es ein Zeichen der Gnade Gottes, ihn als meinen Lehrer haben zu dürfen. Ihm sei herzlich gedankt.

Auch meiner Frau und meinen beiden Töchtern schulde ich großen Dank. Sie standen mir alle Zeit bei. Dieses Buch ist besonders meinen beiden Töchtern gewidmet.

Der Doorae Stiftung danke ich für das Postdoktoriale Stipendium, der Theologischen Fakultät der Universität Heidelberg für die Möglichkeit, bei ihr als Gastwissenschaftler zu forschen. Bei allen neutestamentlichen Sozietätteilnehmern vom 16. Januar 2004 bedanke ich mich für Anregungen.

Schließlich danke ich Prof. Dr. Max Küchler, Prof. Dr. Peter Lampe und Prof. Dr. Gerd Theißen herzlich für die Aufnahme der Arbeit in die Reihe Novum Testamentum et Orbis Antiquus/Studien zur Umwelt des Neuen Testaments.

Wilhelmsfeld, im August 2006 — Taeseong Roh

Inhalt

I. Einleitung

1. Stand der Forschung und Problemstellung der Arbeit

1.1 Resignierende Stimmen zur Deutung des 2 Thess

Trotz unzähliger Versuche, den geschichtlichen Hintergrund des 2 Thess zu erhellen, scheint sich in der Exegese des Briefes eine wissenschaftliche Resignation auszubreiten, die nicht unbegründet ist. Wenige Stimmen reichen aus, um zu zeigen, wie verbreitet diese Resignation ist und mit welchen Nuancen sie im Einzelnen vertreten wird. L. Morris bekennt sich zu einem großen *Ignoramus*: »It is best that we frankly acknowledge our ignorance.«[1] J.E. Frame resigniert angesichts der Dunkelheit der Aussagen: »Unfortunately, the allusions are so fragmentary and cryptic that it is at present impossible to determine precisely what Paul means.«[2] Solche Stimmen dokumentieren, dass der jeweilige Interpret beim Verständnis des 2 Thess auf unüberwindliche Grenzen stößt.[3] Davon zu unterscheiden sind Versuche, die eigenen Grenzen der Erkenntnis auf eine Intention des Autors des 2 Thess zurückzuführen, der bewusst vieles im Unklaren gelassen habe. So meint F. Laub: »Durch bewußt unklare sprachliche Gestaltung verhindert er also, daß seine Leser in die falsche Richtung blicken [...].«[4] Ähnlich urteilt W. Trilling: »Die Redeweise ist absichtlich mysteriös gehalten.«[5] Und W. Marxsen macht daraus eine hermeneutische Maxime, indem er schreibt:

> Wenn dann Ausleger versuchen, das Bild zu entschlüsseln, versuchen sie etwas, was der Verfasser gerade verhindern will und was er durch seine Formulierungen schon selbst unmöglich gemacht hat.[6]

Es ist angesichts solcher Äußerungen ein dringendes Anliegen zu überprüfen, ob diese wissenschaftliche Resignation wirklich gerechtfertigt ist oder

---

[1] L. Morris, The First and Second Epistles to the Thessalonians, Grand Rapids, 1959, 227.

[2] J.E. Frame, The Epistles of St. Paul to the Thessalonians, ICC, Edinburgh ³1953, 258.

[3] Ein Vorbild in dieser Hinsicht ist Augustinus (CivD XX 19,2), der eingestand, »Ich muss wirklich gestehen, dass ich nicht weiß, was der Apostel hier [sc. in 2 Thess 2,6] sagen will.« (zitiert nach E.E. Popkes, Die Bedeutung des zweiten Thessalonicherbriefs für das Verständnis paulinischer und deuteropaulinischer Eschatologie, BZ 48 (2004), 39–64, hier 62).

[4] F. Laub, 1. und 2. Thessalonicherbrief, NEB 13, Würzburg 1985, 85.

[5] W. Trilling, Der zweite Brief an die Thessalonicher, EKK 14, Zürich u.a. 1980, 89.

[6] W. Marxsen, Der zweite Thessalonicherbrief, ZBK 11,2, Zürich 1982, 85.

ob der Brief nicht doch einen konkreten geschichtlichen Kontext und Hintergrund erkennen lässt. Die vorliegende Arbeit soll dazu beitragen, dieses Desiderat zu füllen.

Hinter der wissenschaftlichen Resignation scheint mir ein aktuelles hermeneutisches Problem verborgen zu sein: eine Abneigung, in biblischen Texten eindringliche apokalyptische Appelle angesichts eines unmittelbar bevorstehenden Endes wahrzunehmen; denn solche apokalyptischen Appelle widersprechen unseren auf eine unbegrenzte Dauer gerichteten Zeitvorstellungen. Diese Abneigung hängt mit dem ungelösten Problem zusammen, wie wir mit einer apokalyptischen Zeitdeutung umgehen sollen, deren endgültige Verwirklichung in der Geschichte ausgeblieben ist, die aber Aufnahme in den Kanon gefunden hat. Sie findet sich in den normativen Texten des Christentums – und doch scheint ihre Normativität durch die weiterlaufende Geschichte widerlegt zu sein. Welchen Sinn solche apokalyptischen Zeitdeutungen trotzdem für uns heute haben könnten, obwohl sie in der Geschichte fehlgeschlagen sind, werden wir daher am Schluss der Arbeit zu bedenken haben.

1.2 Der 2 Thess – eine Korrektur des 1 Thess?

Während der zweite Thessalonicherbrief von den Exegeten, die ihn für echt halten,[7] im Allgemeinen als Korrektur der Missverständnisse, die durch den ersten Brief bei den Thessalonichern hervorgerufen wurden, betrachtet wird,[8] wird er von den Exegeten, die ihn für unecht halten,[9] als Korrektur[10] oder Ersatz des ersten Briefes verstanden und interpretiert.[11]

---

[7] Z.B. A. Malherbe, The letters to the Thessalonians. A new translation with introduction and commentary, AncB 32b, New York 2000, 373–375; F.F. Bruce, 1 & 2 Thessalonians, WBC 45, New York 1982, XXXIIf und 141f; E. Best, The First and Second Epistles to the Thessalonians, London u.a. 1972, 59; L. Morris, Thess; W. Neil, The Epistles of Paul To The Thessalonians, MNTC, London 1950; M. Dibelius, An die Thessalonicher I–II. An die Philipper, HNT 11, 1911, ^{3}1937; E. v. Dobschütz, Die Thessalonicherbriefe, KEK, Göttingen 1909; G. Wohlenberg, Der erste und zweite Thessalonicherbrief, KNT, Leipzig 1909; G. Milligan, St. Paul's Epistles to the Thessalonians, London 1908; W. Bornemann, Die Thessalonicherbriefe, KEK, Göttingen 1894; G. Lünemann, Kritisch Exegetisches Handbuch über die Briefe an die Thessalonicher, Göttingen 1867.

[8] Z.B. A. Malherbe.

[9] Z.B. G. Lüdemann, Paulus, der Gründer des Christentums, Lüneburg 2001, 247–255; N. Walter/E. Reinmuth/P. Lampe, Die Briefe an die Philipper, Thessalonicher und an Philemon, NTD 8,2, Göttingen 1998, 159–161; F.W. Hughes, Early Christian Rhetoric and 2 Thessalonians, JSNT.S 30, Sheffield 1989, 95; G. S. Holland, The Tradition That You have Received from Us. 2 Thessalonians in the Pauline Tradition, HUTh 24, Tübingen 1988, 129; F. Laub, Thess, 39f; W. Marxsen, 2 Thess, 9f; W. Trilling, 2 Thess, 27f; A. Lindemann, Zum Abfassungszweck des zweiten Thessalonicherbriefes, ZNW 68 (1977), 35–47; W. Wrede, Die Echtheit des zweiten Thessalonicherbriefs, Leipzig 1903.

Ein zentraler Punkt bei der ersten Interpretation ist die Deutung der durch den Brief bekämpften eschatologischen Einstellung der Gegner als eine unmittelbare Naherwartung. Die dafür zugrunde liegende Aussage, »ἐνέστηκεν ἡ ἡμέρα τοῦ κυρίου« (2,2) wird aber selten mit »Der Tag des Herrn steht bevor« bzw. »Der Tag ist nahe herbeigekommen« oder auf eine ähnliche Art und Weise übersetzt,[12] sondern zu Recht mit »Der Tag des Herrn ist gekommen« oder »ist da«. Das hat zuletzt A. Malherbe betont:

The perfect ἐνέστηκεν means »has come« or »is present« [...]. It does not mean »is coming« (ἔρχεται, 1 Thess 5,2), »is at hand« (ἤγγικεν, Rom 13,12), or »is near« (ἐγγύς (ἐστιν), Phil 4,5) [...], which would hardly have called for correction.[13]

Obwohl einige Interpreten das Wort durchaus im Sinne einer schon geschehenen Ankunft übersetzen, interpretieren sie es dennoch so, als bedeute es eine unmittelbar bevorstehende Ankunft. So schrieb z.B. E. v. Dobschütz schon vor etwa 100 Jahren, »Das mit Betonung vorangestellte Prädikat ἐνέστηκεν [...] kann nicht heißen: steht bevor, ist zukünftig [...], sondern bedeutet zunächst: ist da, ist gegenwärtig.«[14] Ein paar Zeilen später aber urteilt er, »aber ἐνέστηκεν muß nicht wirkliche Gegenwart, sondern die fast zur Gegenwart gewordene Zukunft, das unmittelbar Bevorstehen bezeichnen, ›Schon im Eintreten begriffen‹ [...].«[15]

Dieselbe Widersprüchlichkeit im Urteil finden wir bei einigen zeitgenössischen Exegeten wie W. Trilling oder F. Laub:

Das betont vorangestellte Verbum ist in seinem Sinn an sich eindeutig. Das Perfekt läßt keine Zweifel daran, daß vom »da sein«, nicht vom »nahe sein«, »bevorstehen« u.ä. die Rede ist. Darüber besteht weitgehende Einigkeit. [...] Gewiß konnte keiner auf den Gedanken kommen zu sagen, die Parusie finde jetzt tatsächlich statt. Da wäre auch zum Abfassen eines Briefes keine Zeit mehr gewesen. Aber man konnte durch-

---

[10] Z.B. W. Trilling; E. Reinmuth.

[11] Z.B. A. Lindemann; W. Marxsen; F. Laub; G. Lüdemann.

[12] Ausgehend davon, dass ἐνίστημι lexikalisch sowohl »ist da« als auch »nahe bevorstehend« bedeutet, hält A.M.G. Stephenson, On the Meaning of ἐνέστηκεν in 2 Thessalonians 2,2, in: Studia Evangelica Vol. IV (Hg. von F.L. Cross), 443–451, gegen die Mehrheit der englischen Bibel-Übersetzer die zweite Möglichkeit für richtig, weil die erste Möglichkeit seiner Ansicht nach keinen Sinn mache (schon vor ihm B. Weiß, Die Paulinischen Briefe und der Hebräerbrief im Berichtigten Text, NTD II, Leipzig 1896, 512 oder J.B. Lightfoot, Notes on the Epistles of St. Paul, London 1895: »But there remains considerable support for the sense of imminence [...] rather than actual presence« [nach Bruce, Thess, 165]). Seine Behauptung ist methodisch nicht haltbar, weil er einzig und allein vom äußeren und inneren Kontext her den Sinn des Wortes zu bestimmen sucht, obwohl eine Betrachtung analoger Verwendungen des Wortes deutlich einen anderen Sinn erkennen lassen. Vgl. W. Trilling, Untersuchungen zum zweiten Thessalonicherbrief, EThSt 27, Leipzig 1972, 124 Anm. 57 sowie 2 Thess, 78 Anm. 280.

[13] A. Malherbe, Thess, 417.

[14] E. v. Dobschütz, Thess, 267. Ähnlich auch L. Morris, Thess, 216.

[15] E. v. Dobschütz, Thess, 268 (in Anlehnung an Lünemann, Thess, 196–200, sowie P.W. Schmiedel, Die Briefe an die Thessalonicher und an die Korinther, ²1892, 11).

aus sagen: Es ist soweit, das Endgeschehen kommt in Gang. Dann werden die Aufregung, ja der Schrecken verständlich.[16]

Welche Intensität die Parusieerwartung bei den Adressaten in Wirklichkeit hatte, wissen wir nur aus der Sicht des Verfassers von II, der sie in 2,2 wiedergibt mit dem Satz: ›Der Tag des Herrn ist da‹, was wohl meint: Die Parusie steht unmittelbar bevor.[17]

Solche Interpretationen kommen, wie der amerikanische Exeget J. Lillie schon vor etwa 100 Jahren zutreffend feststellte, »from the supposed necessity of the case rather than from an grammatical compulsion.«[18]

Meines Erachtens hat jedoch E. Reinmuth recht, wenn er sagt: »Das Perfekt des verwendeten Verbs schließt jedenfalls eine abschwächende Übersetzung im Sinne zeitlicher Nähe aus.«[19]

Nimmt man also den Sinn des betreffenden Wortes genau, dann kann es sich bei der im 2 Thess bekämpften Position des Gegners keineswegs um eine unmittelbare Naherwartung gehandelt haben, sondern es scheint eine realisierte Eschatologie vorzuliegen. Naherwartung war der thessalonischen Gemeinde durch Paulus längst bekannt und von daher wäre sie nichts Ungewöhnliches gewesen. Eine realisierte Eschatologie jedoch hätte Erschütterung und Erschrecken auslösen müssen, da man sich von der Realisierung des Endes ausgeschlossen hätte fühlen müssen. Die Sorge der Thessalonicher um die Verstorbenen nach 1 Thess 4,13–18 spiegelt wider, wie ernst die Naherwartung für sie war, woraus zu erschließen ist, wie viel Schrecken und Enttäuschung die Thessalonicher empfunden haben müssen, als sie hörten, die Parusie sei schon geschehen, aber *ohne* dass ihr Schicksal davon tangiert war. Sie wäre gewissermaßen an ihnen vorbei und in ganz anderer Form geschehen, als sie erwartet hatten.

Versuche, den betreffenden Satz als eine »überspitzende« Aussage aufzufassen, mit der der Autor des 2 Thess »die Absurdität« der gegnerischen Behauptung herausstellen wolle, sind ebenfalls wenig überzeugend, da sie voraussetzen, »dass es eben diese Ansage des jetzt anbrechenden Endes ist, die die in v2a angebrochene Verwirrung auslösen kann«.[20]

Es ist daher notwendig, ausgehend von diesen Überlegungen zu 2 Thess 2,2 das Verständnis des ganzen Briefes neu zur Diskussion zu stellen. Die vorliegende Arbeit will zeigen, dass der zweite Thessalonicherbrief mit dem Glauben an eine realisierte Eschatologie konfrontiert war – also mit

---

[16] W. Trilling, 2 Thess, 78f.

[17] F. Laub, Thess, 40.

[18] J. Lillie, The Epistles of Paul to the Thessalonians. Translated from the Greek with Notes, 1856 (zitiert nach J.E. Frame, Thess, 249).

[19] E. Reinmuth, Thess, 177.

[20] E. Reinmuth, Thess, 177f.

der Behauptung, die Parusie sei schon geschehen. Sie wird zunächst fragen, in welcher Form sie hat geschehen können, so dass einige behaupten konnten, der Tag des Herrn sei schon da. Sie wird ferner fragen, wie der Autor des Briefes mit dieser präsentischen Eschatologie umgegangen ist, und schließlich, inwiefern die Gemeinde hinter dem zweiten Brief bei ihrer Auseinandersetzung mit dieser realisierten Eschatologie die Tradition des ersten Briefes fortsetzt: Hat sie eine Naherwartung ähnlich der im ersten Thessalonicherbrief vertretenen oder hat sie diese zugunsten einer Korrektur der Naherwartung modifiziert, wie die meisten Exegeten annehmen?

1.3 Der 2 Thess – ein Ersatz des 1 Thess?

Bevor wir diesen Fragen nachgehen, müssen wir uns mit der Ansicht auseinandersetzen, die den zweiten Thessalonicherbrief nicht nur als Korrektur der Naheschatologie des ersten Briefes, sondern als Ersatz des ersten Briefes betrachtet, der mit der Absicht geschrieben wurde, den ersten Thessalonicherbrief zu verdrängen. A. Lindemann[21] hat diese in der Forschung folgenreiche[22] These im Anschluss an A. Hilgenfeld[23] und H.J. Holtzmann[24] in der gegenwärtigen Forschung am profiliertesten vertreten. Er begründet sie mit folgenden Argumenten:

1) Der zweite Brief nimmt trotz enger Bindungen an den ersten auffälligerweise auf diesen überhaupt keinen Bezug. Nach Meinung Lindemanns »müßte man doch erwarten, daß er [der Verfasser des 2 Thess s.c.] ausdrücklich auf diesen ersten Brief hinweisen würde«, wenn man annimmt, »der Vf habe das in 1 Thess Gesagte ergänzen und interpretieren, teilweise auch korrigieren wollen«.

2) Statt einer deutlichen Bezugnahme des zweiten auf den ersten Brief findet man in 2,2, wo nach Meinung von Lindemann die Naheschatologie des ersten Briefes mit »der Tag des Herrn ist schon gekommen«

[21] A. Lindemann, Abfassungszweck, 35–47.

[22] Z.B. F. Laub, Paulinische Autorität in nachpaulinischer Zeit (2 Thes), in: R.F. Collins, The Thessalonian Correspondence, Leuven 1990, 403–417; Ders., Thess; H. Koester, From Paul's Eschatology to the Apocalyptic Schemata of 2 Thessalonians, in: Correspondence, 441–458; W. Marxen, Thess.

[23] Die beiden Briefe an die Thessalonicher, ZWTh 5(1862), 255–264.

[24] H.J. Holtzmann, Lehrbuch der historisch-kritischen Einleitung in das Neue Testament, Freiburg [2]1886, 240; Ders., Zum zweiten Thessalonicherbrief, ZNW 2 (1901), 97–108, dort 105: »Mag nun Paulus oder ein anderer den Brief geschrieben haben: der Zweck dieser zweiten, verkürzten und doch zugleich auch vermehrten Ausgabe kann nach dem dargelegten literarischen Sachverhalt nur in der Absicht, den ersten, größeren Brief zu ersetzen, liegen.«

wiedergegeben ist, eine Wendung, die seiner Ansicht nach auf eine Distanzierung des Verfassers vom ersten Brief hinweist: Hier wird auf einen Brief »wie durch uns« hingewiesen, was zu übersetzen sei mit: »[Lasst euch nicht verwirren,] durch einen Brief, der angeblich von uns kommt«.

3) Daneben findet man in 2,15 einen anderen Ausdruck, der seiner Ansicht nach auf den zweiten Brief selbst hindeutet: »Haltet die Überlieferung, in der ihr durch uns, und zwar durch unseren diesen Brief unterwiesen worden seid.«

4) Schließlich begegnet man in 3,17 einem Echtheitszeichen, das versichert, »alle paulinischen Briefe trügen dieses Zeichen«. Das ist seiner Meinung nach eine Aussage, die dem ersten Brief die paulinische Autorschaft absprechen wolle, weil er dieses Authentizitätszeichen nicht hatte.

Gegenüber diesen Argumenten sind folgende Einwände zu erheben. Dabei beginnen wir mit dem zweiten Argument und behandeln das erste an letzter Stelle:

Ad 2) Gegen Lindemann ist zunächst klarzustellen, dass die eschatologische Aussage in 2,2 nicht mit einer Naheschatologie gleichzusetzen ist, wie sie in 1 Thess vertreten wurde. Das wurde bereits oben dargestellt. Es ist also keineswegs notwendig, in der Verbindung der eschatologischen Aussage 2,2 mit dem Hinweis auf »einen Brief angeblich von uns« eine Distanzierung des Verfassers vom ersten Brief zu sehen. Man kann höchstens soweit gehen, anzunehmen, hier sei eine Fehlinterpretation des ersten Briefes gemeint.[25] Für die Annahme einer Fehlinterpretation spricht m.E. die Nennung der zwei vor dem »Brief« genannten anderen Quellen, der »(Weissagung) durch den Geist« und des »Wortes«. Der »angeblich von uns stammende Brief«[26] ist danach keineswegs die einzige Quelle, sondern stellt lediglich eine von dreien dar. Aufgrund der Reihenfolge dieser drei Quellen liegt es sogar nahe, dass die Behauptungen der Gegner vor allem auf der zuerst genannten prophetischen Weissagung (dem πνεῦμα) und der daraus entstandenen Verkündigung (dem λόγος) basierten. Der »angeblich von uns stammende Brief« könnte dann als wei-

[25] Vgl. A.v. Aarde, The Struggle Against Heresy in the Thessalonian Correspondence and the Origin of the Apostolic Tradition, in: Correspondence, 418–425.

[26] Die griechische Wendung »von uns« könnte sich eventuell auch auf das zuvor genannte Wort »Wort« mit beziehen. Fasst man aber »Wort« als das durch Weissagung Verkündete auf, dann beschränkt sich die Wendung »von uns« nur auf den Brief allein. So W. Marxsen, 2 Thess, 80.

teres Argument hinzugezogen worden sein, wobei die zutreffende Übersetzung des ὡς δι᾽ ἡμῶν durch »angeblich von uns stammend« die Möglichkeit einer von dieser Weissagung beeinflussten Kopie bzw. einer dadurch bestimmten Interpretation des ersten Briefes einschließt.

Ad 3) In 2,15 wird der Inhalt des hier gemeinten Briefes mit παράδοσις[27] bezeichnet. Diese παράδοσις werden mit dem Verb »lehren« im Aorist verbunden, was m.E. soviel bedeutet wie: Ihr habt die Überlieferungen, die ihr bereits gelehrt worden seid. D.h. es ist schwer vorstellbar, dass sich der Brief von »uns«, in dem diese Überlieferungen gelehrt worden sind, selbstreferentiell auf den zweiten Thessalonicherbrief selbst beziehen soll. Es muss sich vielmehr um einen den Thessalonichern schon bekannten Brief handeln.[28] Eine Analogie dafür bietet 1 Kor 11,2, wo ebenfalls das Verb »festhalten« und das Nomen παράδοσις vorkommen: »Ich lobe euch, weil ihr in allen Stücken an mich denkt und an den Überlieferungen festhaltet, wie ich sie euch gegeben habe.« Die »Überlieferungen« beziehen sich auch an dieser Stelle auf bereits vorgegebene Überlieferungen, keineswegs aber auf das von Paulus jetzt erst Mitgeteilte. Außerdem ist zu beachten, dass nur im zweiten Brief das Wort παράδοσις vorkommt,[29] während es im ersten kein einziges Mal erscheint. Der Begriff kann also nicht einfach mechanisch übernommen worden sein. Er wird neu eingeführt. Das weist darauf, dass hier eine lebendige Paulustradition vorausgesetzt wird. Wenn der Verfasser des zweiten Briefes aber den ersten zu ersetzen und zu verdrängen beabsichtigt hätte, hätte er solch ein an die Existenz eines Briefes erinnerndes Wort vermieden. Die Auswahl dieses Wortes als Bezeichnung einer (auch) in Briefform vorliegenden Tradition deutet indirekt darauf hin, dass die Existenz des ersten Briefes bei den Lesern als bekannt vorausgesetzt wird.

Ad 4) Das Echtheitszeichen lässt sich als pseudepigraphisches Mittel verstehen. Derjenige, der einen echten Brief nachahmt und seiner Nachahmung einen Echtheitsanspruch verleihen möchte, sucht nach Mitteln, Echtheit zu suggerieren. Eine eigenhändige Unterschrift mit einer gegenüber dem sonstigen Briefschreiben veränderten Handschrift,

---

[27] Vgl. C.V. Stichele, The Concept of Tradition and 1 and 2 Thessalonians, in: Correspondence, 499–504.

[28] So auch E. Reinmuth, Thess, 162. W. Marxsen, 2 Thess, 10ff, deutet das jedoch auf Briefe die Paulus an andere Gemeinden geschickt habe.

[29] Für K.P. Donfried, 2 Thessalonians and the Church of Thessalonia, in: Ders., Paul, Thessalonia and Early Christianity, New York. u.a. 2002, 49–67, hier 65, ist die Benutzung des Wortes im 2 Thess ein Indiz dafür, dass der 2 Thess authentisch-paulinisch sei, weil auch 1 Kor 11, 2 und Gal 1,14 die Verwendung des Wortes belegen.

die beim Abschreiben sowieso nicht mehr erkennbar ist, ist ein gutes Mittel dafür. Das darf jedoch als Argument des pseudepigraphen Verfassers gegen die Authentizität des ersten Briefes nicht überbewertet werden. In 1 Thess fehlt wohl ein expliziter Hinweis auf eine eigenhändige Unterschrift. Diese aber war bei einer Abschrift ohnehin nicht mehr erkennbar.

Ad 1) Will ein pseudepigrapher Verfasser eine Tradition neu interpretieren, so wird er zunächst versuchen die Tradition aufzunehmen, um zu zeigen, dass er in einer Linie mit ihr steht, und erst wenn das gelungen ist, wird er versuchen neue Akzente innerhalb dieser Tradition zu setzen. Es kann daher als sinnvolle Strategie angesehen werden, dass der Verfasser des zweiten Briefes vieles vom ersten übernommen hat. Dabei spielt m.E. keine Rolle, ob die Bezüge auf den ersten Brief explizit gekennzeichnet sind oder nicht. Allein die Übernahme vieler Elemente des ersten Briefes bezeugt eine enge Beziehung des zweiten zum ersten Brief und damit seine volle Anerkennung durch den zweiten. Strategisch gesehen ist es nicht notwendig und sogar überflüssig, ausdrücklich auf den ersten Bezug zu nehmen, der doch mit der Übernahme vieler Elemente stillschweigend vorausgesetzt wird. Eine ausdrückliche Bezugnahme auf ein Modell ist m.E. erst dann notwendig, wenn nur ganz wenig bzw. gar nichts von einem Modell übernommen wird. Das wird beispielsweise in der ausdrücklich markierten Bezugnahme des zweiten Petrusbriefes auf den ersten in 2 Petr 3,1[30] deutlich.[31]

Ferner ist zu erwähnen, dass im zweiten Thessalonicherbrief ein für Paulus charakteristisches theologisches Element, das im ersten zu finden ist, fehlt, nämlich charakteristische Züge seiner Christologie. Christus ist im ersten Thessalonicherbrief in erster Linie der, der für »uns« gestorben und auferstanden ist (z.B. 5,10), darüber hinaus ist er der Kommende, auf den die Glaubenden warten. Dieses Christusbild ist für Paulus charakteristisch und begegnet in allen seinen Briefen.[32] Im zweiten Brief aber ist Christus ausschließlich der Kommende und der Weltenrichter. Sein Tod und seine Auferstehung spielen in ihm keine Rolle.[33] Angesichts dieser christologischen Einseitigkeit des zweiten Briefes ist es unwahrscheinlich, dass der Verfasser des zweiten Briefes mit seinem Brief den ersten hat verdrängen und ersetzen wollen. Wenn er das gewollt hätte, wäre seine Strategie schlecht

[30] »Dies ist nun der zweite Brief, den ich euch schreibe [...]«
[31] Vgl. dazu H.J. Holtzmann, Thessalonicherbrief, 107.
[32] Nur im Philemonbrief ist dies nicht zu beobachten, wahrscheinlich weil der Brief zu kurz ist.
[33] Vgl. R.F. Collins, »The Gospel of Our Lord Jesus« (2 Thess 1,8). A Symbolic Shift of Paradigm, in: Correspondence, 426–440, hier 439.

gewesen und ohne Aussicht auf Erfolg. Viel wahrscheinlicher ist, dass der Verfasser des zweiten Briefes von vornherein seinen Brief als Ergänzung des ersten konzipiert hat. Er setzt bei seinen Lesern voraus, dass sie den ersten Brief kennen und den zweiten von vornherein nur als Ergänzung zu ihm lesen. Deshalb meint er, sich solch eine christologische Einseitigkeit in seinem Brief erlauben zu können.

Ein weiteres Gegenargument ist, dass Texte aus dem ersten Brief, die persönliche bzw. gemeindespezifische Situationen behandeln, nicht wieder aufgenommen werden;[34] das gilt insbesondere für die Verteidigung gegen den Vorwurf unlauteren Wandels in 1 Thess 2,1–8 und den Trost angesichts von Todesfällen in der Gemeinde in 4,13–5,11.[35] Wenn der zweite Brief tatsächlich ein Ersatzbrief gewesen sein soll, hätte es nahe gelegen, dass der Verfasser die beiden Texte in modifizierter Form wiedergegeben hätte, um seinem Brief den Anschein der Echtheit zu verleihen.

Schließlich ist ein wirkungsgeschichtliches Argument zu nennen. Der zweite Brief ist uns nur zusammen mit dem ersten überliefert worden.[36] Falls der zweite den ersten verdrängen und ersetzen sollte, ist diese Absicht ohne sichtbare Folgen geblieben: Dass der zweite allein überliefert worden ist, ist an keiner Stelle belegt. Vielmehr zeigen die Textüberlieferungen, dass beide Thessalonicherbriefe sehr bald zusammen überliefert wurden.[37] Entweder wurde die Strategie des Verfassers des zweiten Briefes so schlecht durchgeführt, dass sein Vorhaben keinen Erfolg hatte, oder er hatte nie die Absicht den ersten zu verdrängen und zu ersetzen, sondern es ging ihm immer nur darum, den ersten zu ergänzen. Darum sind die beiden Briefe sehr bald zusammen überliefert worden, wahrscheinlich gleich nachdem der zweite abgefasst worden ist.

Aus all diesen Gründen liegt es fern, dass der zweite Thessalonicherbrief ein Ersatz des ersten Briefes gewesen sein soll. Viel näher liegt es, in ihm eine Ergänzung und Weiterführung des ersten Briefes zu sehen. Wir werden

---

[34] Dies (dass solche Angaben im 2 Thess fehlen) war für de Wette neben der eigentümlichen Mischung von Ähnlichkeit und Verschiedenheit in den ersten Versen einer der Gründe, den 2 Thess für unecht zu halten. Allerdings revidierte er später seine Meinung (nach E. v. Dobschütz, Thess, 33).

[35] 1 Thess 5,1–11 stellt für viele einen Gegensatz zu 2 Thess 2,1–13 dar. Für mich ist der Text 5,1–11 aber kein Gegensatz zu 2 Thess 2, sondern steht in einer gewissen Harmonie mit ihm. Näheres siehe unten in der Diskussion über 2 Thess 2.

[36] Zutreffend E. v. Dobschütz, Thess, 31: »Während die Geschichte der beiden Thessalonicherbriefe innerhalb der biblisch-kirchlichen Überlieferung eine ganz gemeinsame ist – beide Briefe sind zusammen in den Kanon gekommen, haben immer (u. zw. in der Reihenfolge I II) nebeneinander gestanden, sind fast immer zusammen kommentiert worden – trennt sie die neuere Kritik scharf voneinander.«

[37] Vgl. D. Trobisch, Die Entstehung der Paulusbriefsammlung. Studien zu den Anfängen christlicher Publizistik, NTOA 10, Freiburg u.a. 1989, passim.

zunächst unseren Blick darauf richten, wie der zweite Brief den ersten aufnimmt und ergänzt, bevor wir uns damit beschäftigen, was diese Ergänzung veranlasst haben könnte.

2. Die Wiederaufnahme des 1 Thess[38]

Der Verfasser des zweiten Briefes nahm bekanntlich vieles vom ersten Brief auf. Dies zeigt sich in zweierlei Weise: einerseits im Aufbau des Briefes und andererseits in Wendungen, die denen des ersten Briefes nahe stehen – allerdings oft in einem anderen Zusammenhang.

Betrachten wir zunächst den Aufbau. Der zweite Brief stimmt in der Reihenfolge des Aufbaus mit der des ersten weitgehend überein. Das Präskript in 1 Thess 1,1 findet sich in der gleichen Form in 2 Thess 1,1f wieder, wobei es im 2 Thess leicht verkürzt ist.

Die auffällige Wiederholung der Danksagung im ersten Brief (1Thess 1,2 und 2,13), findet sich auch im zweiten Brief: »Wir müssen Gott allezeit für euch danken, Brüder« (2 Thess 1,3) wird in 2,13 mit kleiner Variation wiederholt: »Wir aber müssen Gott allezeit für euch danken, vom Herrn geliebte Brüder«. Die zweite Danksagung (2,13) lässt aufgrund der unnötigen Betonung des *Wir* und der deutlichen Angleichung an 2 Thess 1,3, einer veränderten Formulierung von 1 Thess 1,2, in formaler Hinsicht eine Orientierung am ersten Brief erkennen.

Das Gleiche ist beim Abschluss des ersten Teils des zweiten Briefes zu beobachten (2,16f). Hier finden wir z.T. dieselben Worte wie beim entsprechenden Abschluss im 1 Thess: »Er selbst aber, Gott, unser Vater und unser Herr Jesus [...].« (1 Thess 3,11) wird in: »Er selbst aber, unser Herr Jesus Christus und Gott, unser Vater [...].« (2 Thess 2,16) wiederholt. Dabei wird nur die Reihenfolge von Gott und Jesus vertauscht.

Weitere Beispiele solcher Wiederaufnahmen an den strukturierenden Stellen des Briefes finden sich in der Paränese: Die Paränese im zweiten Brief (3,1ff) wird wie im ersten Brief (4,1ff) mit »im Übrigen, Brüder« eingeleitet. Genauso wie im ersten Brief (5,14) wird auch im zweiten (3,6ff) das Problem der Unordentlich-Lebenden angesprochen.

Schließlich stimmen die abschließenden Segenswünsche in beiden Briefen erstaunlich überein: »Er aber, der Gott des Friedens, heilige euch durch und durch [...].« (1Thess 5,23) entspricht: »Er aber, der Herr des Friedens, gebe euch Frieden allzeit [...]« (2 Thess 3,16).

---

[38] Einen ausführlichen Vergleich bietet W. Marxsen, 2 Thess, 15–41 an. Da seine Arbeit umfassend ist, beschränke ich mich hier auf das Notwendigste.

Werfen wir nun einen Blick auf die einzelnen Wendungen. Der Verfasser des zweiten Briefes macht oft vom ersten Brief Gebrauch, wenn er neue Gedankengänge einführt. So findet man in 2 Thess 2,13–3,5 Wendungen, die aus unterschiedlichen Stellen des 1Thess stammen. Da diese Anklänge gründlich untersucht worden sind, können wir uns hier zur Illustration mit einigen Beispielen begnügen:

– *2Thess 2,13*: *Ἡμεῖς* δὲ ὀφείλομεν *εὐχαριστεῖν τῷ θεῷ* πάντοτε περὶ ὑμῶν, *ἀδελφοὶ ἠγαπημένοι ὑπὸ κυρίου*, ὅτι εἵλατο ὑμᾶς ὁ θεὸς ἀπαρχὴν εἰς σωτηρίαν *ἐν ἁγιασμῷ* πνεύματος [...].

1Thess

2,13: Καὶ διὰ τοῦτο καὶ *ἡμεῖς εὐχαριστοῦμεν τῷ θεῷ* ἀδιαλείπτως [...].

1,4: εἰδότες, *ἀδελφοὶ ἠγαπημένοι* ὑπὸ τοῦ θεοῦ, [...].

4,7: οὐ γὰρ ἐκάλεσεν ἡμᾶς ὁ θεὸς ἐπὶ ἀκαθαρσίᾳ ἀλλ' ἐν *ἁγιασμῷ*.

– *2Thess 2,14*: εἰς ὃ ἐκάλεσεν ὑμᾶς διὰ τοῦ εὐαγγελίου ἡμῶν *εἰς περιποίησιν* δόξης *τοῦ κυρίου ἡμῶν Ἰησοῦ Χριστοῦ*.

1Thess 5,9: ὅτι οὐκ ἔθετο ἡμᾶς ὁ θεὸς εἰς ὀργὴν ἀλλὰ *εἰς περιποίησιν* σωτηρίας διὰ *τοῦ κυρίου ἡμῶν Ἰησοῦ Χριστοῦ*.

– *2Thess 2,15*: Ἄρα οὖν, ἀδελφοί, *στήκετε* καὶ κρατεῖτε *τὰς παραδόσεις* ἃς ἐδιδάχθητε εἴτε διὰ λόγου εἴτε δι'ἐπιστολῆς *ἡμῶν*.

1Thess

3,8: ὅτι νῦν ζῶμεν ἐὰν ὑμεῖς *στήκετε* ἐν κυρίῳ.

4,1: Λοιπὸν οὖν, ἀδελφοί, ἐρωτῶμεν ὑμᾶς καὶ παρακαλοῦμεν ἐν κυρίῳ Ἰησοῦ, ἵνα καθὼς *παρελάβετε παρ' ἡμῶν* τὸ πῶς δεῖ ὑμᾶς περιπατεῖν καὶ ἀρέσκειν θεῷ, καθὼς καὶ περιπατεῖτε, ἵνα περισσεύητε μᾶλλον.

– *2Thess 2,16*: *Αὐτὸς δὲ ὁ κύριος ἡμῶν Ἰησοῦς* Χριστὸς *καὶ ὁ θεὸς ὁ πατὴρ ἡμῶν* ὁ ἀγαπήσας ἡμᾶς καὶ δοὺς παράκλησιν αἰωνίαν καὶ ἐλπίδα ἀγαθὴν ἐν χάριτι [...].

1Thess 3,11: *Αὐτὸς δὲ ὁ θεὸς καὶ πατὴρ ἡμῶν καὶ ὁ κύριος ἡμῶν Ἰησοῦς* κατευθύναι τὴν ὁδὸν ἡμῶν πρὸς ὑμᾶς.

– *2Thess 2,17*: *παρακαλέσαι ὑμῶν τὰς καρδίας* καὶ *στηρίξαι* ἐν παντὶ ἔργῳ καὶ λόγῳ ἀγαθῷ.

1Thess

3,2: [...] εἰς τὸ *στηρίξαι ὑμᾶς καὶ παρακαλέσαι* ὑπὲρ τῆς πίστεως ὑμῶν [...].

3,13: εἰς τὸ *στηρίξαι ὑμῶν τὰς καρδίας* ἀμέμπτους ἐν *ἁγιωσύνῃ* ἔμπροσθεν τοῦ θεοῦ καὶ *πατρὸς* ἡμῶν ἐν τῇ *παρουσίᾳ* τοῦ κυρίου ἡμῶν Ἰησοῦ μετὰ *πάντων* τῶν *ἁγίων αὐτοῦ*, ἀμήν.

– *2Thess 3,1*: Τὸ *λοιπὸν προσεύχεσθε*, *ἀδελφοί*, *περὶ ἡμῶν*, ἵνα ὁ λόγος τοῦ κυρίου τρέχῃ καὶ δοξάζηται καθὼς καὶ πρὸς ὑμᾶς [...].

1Thess

4,1: *Λοιπὸν* οὖν, ἀδελφοί, ἐρωτῶμεν ὑμᾶς [...].

5,25: *Ἀδελφοί*, *προσεύχεσθε καὶ περὶ ἡμῶν*. [...].

– *2Thess 3,3*: *Πιστὸς* δὲ ἐστιν ὁ κύριος, ὃς στηρίξει ὑμᾶς καὶ φυλάξει *ἀπὸ* τοῦ *πονεροῦ*.

1Thess 5,24: *πιστὸς* ὁ καλῶν ὑμᾶς, ὃς καὶ ποιήσει.

– *2Thess 3,5*: *Ὁ δὲ κύριος κατευθύναι* ὑμῶν τὰς καρδίας εἰς τὴν *ἀγάπην* τοῦ θεοῦ καὶ εἰς τὴν ὑπομονὴν τοῦ Χριστοῦ.

1Thess 3,11: Αὐτὸς δὲ ὁ θεὸς καὶ *πατὴρ* ἡμῶν καὶ *ὁ κύριος* ἡμῶν Ἰησοῦς *κατευθύναι* τὴν ὁδὸν ἡμῶν πρὸς ὑμᾶς.

Wie W. Marxsen richtig bemerkte,[39] hat der Verfasser des zweiten Briefes immer wieder einen Blick auf den ersten Brief geworfen, um von dort Ausdrücke für die Formulierung seiner neuen Gedanken auszuleihen. Vielleicht lebte er aber so intensiv in der geistigen Welt und der Sprache des 1 Thess, dass er auch unbewusst Formulierungen aus ihm hat aufnehmen können.

Die starke formale Orientierung am ersten Brief sowie die Wiederverwendung von Ausdrücken bzw. Worten des ersten Briefes können als eine Art *Rekapitulation* angesehen werden. Solch eine Wiederaufnahme des ersten Briefes könnte strategisch sehr wichtig gewesen sein, wenn der Verfasser beabsichtigt haben sollte, nach langer Zeit einem authentischen Brief einen weiteren hinzuzufügen. Denn wenn ein Brief mit dem Anspruch, Fortsetzung eines bekannten Briefes zu sein, etwa 20 Jahren später unmotiviert auftaucht,[40] hat man selbst in der Antike den Verdacht nicht einfach

---

[39] W. Marxsen, 2 Thess, 25.

[40] Die Abfassungszeit des zweiten Briefes dürfte angesichts der im Brief selbst behandelten Problematik, über die unten zu sprechen sein wird, etwa um das Jahr 70 anzunehmen sein. Eine ähnliche Einschätzung nimmt L. Hartmann vor, The Eschatology of 2 Thessalonians as included in a communication, in: Correspondence, 482, für den die frühe Aufnahme des zweiten Briefes in die paulinische Briefsammlung gegen eine spätere Datierung spricht (gegen W. Trilling, Thess, 27f., der eine Zeit von 80 bis in den Anfang des 2 Jh. vermutet). Anderseits spricht für L. Hartmann der traditionelle Charakter von 2 Thess 2,4 nicht für eine frühere Datierung vor dem Fall des Jerusalemer Tempels (gegen M. Hengel). Eine Spätdatierung des Briefes (um 100) ist m.E. nicht zu halten, weil der Brief die Problematik der Parusieverzögerung nicht anspricht, wie unten zu zeigen sein wird. Bereits im Jahre 1839 datierte F. Kern, Über 2. Thess 2,1–12. Nebst Andeutun-

abweisen können, dass es sich um eine Fälschung handeln könnte.[41] Man denke etwa an die vom Verfasser ausdrücklich betonte eigenhändige Unterschrift des Paulus, die als Indiz dafür angesehen werden kann, dass es nicht ausreicht einen Brief durch Gedanken und Stil als paulinisch auszuweisen, um seine Echtheit zu erweisen. Durch die Rekapitulation des bekannten Briefes erweist sich der neue Brief als mit der (alten) Tradition (des ersten Briefes) eng verbunden. Berücksichtigt man dazu die positive Wertschätzung von *alten Traditionen* in der Antike[42] – im Brief selbst begegnet diese Wertschätzung ausdrücklich in 2 Thess 2,15: »[...] haltet die Überlieferung, die ihr gelehrt worden seid [...].« –, so erhöht der zusammenfassende Rückgriff auf den ersten Brief die Glaubwürdigkeit des Briefes und räumt zugleich mögliche Zweifel an der Echtheit des neu aufgetauchten Briefes aus. Die erhöhte Glaubwürdigkeit der Echtheit eines Briefes ist besonders wichtig in einer Zeit, in der falsche Lehren im Umlauf waren – gerade davor warnt das 2. Kapitel des zweiten Briefes! Die erhöhte Glaubwürdigkeit soll dem damaligen Leser auch die Garantie geben, dass der Brief keine falsche Lehre beinhaltet.

3. Der Adressat des 2 Thess

Die zusammenfassende Bezugnahme des zweiten Briefes auf den ersten Brief ist für die Frage nach seinen Adressaten von großer Bedeutung: Die Adressaten müssen den ersten Brief gekannt haben, ansonsten macht seine Rekapitulation keinen Sinn. Diejenigen, die den ersten Brief nicht genau kennen, können mit den auffälligen Übereinstimmungen des zweiten Briefes mit dem ersten wenig anfangen. Daraus folgt, dass als Adressaten des zweiten Briefes an erster Stelle die Gemeinden in Thessaloniki und Umge-

gen über den Ursprung des zweiten Briefes an die Thessalonicher, Tübinger Zeitschrift für Theologie 2, 145–214, den 2 Thess zwischen 68–70 n.Chr. (unter Bezug auf die Legende des Nero-redivivus). Auch P.W. Schmiedel, Thess, 43, sieht die Zeit kurz vor 70 unter den Kaisern Galba oder Otho als mögliche Entstehungszeit der Apokalypse des 2 Thess. An dieser Stelle ist auch H.J. Holtzmann zu nennen, Einleitung, 240: »Der Brief ist somit geschrieben, um die apokalptische Eschatologie in die paulinische Gedankenwelt zu übertragen (2,1–12) und gewisse Manifestationen der apokalyptischen Stimmung, welche in der Praxis missliebig bemerkt wurden, zurückzudrängen (3,6–10). Somit könnte 2 The(ss) frühestens kurz vor oder um 70 abgefaßt sein.«
Für die Exegeten, die 2 Thess für echt halten, ist der Brief aber etwa zu Beginn des Jahres 50 geschrieben worden (z.B. 51 n. Chr. bei A. Malherbe, Thess, 364).

[41] Anders W. Marxsen, 2 Thess, 35 Anm. 9, der einen solchen Verdacht als zu modern gedacht bezeichnet. Die Benutzung des 1 Thess ziele nach W. Marxsen, 2 Thess, 33, vielmehr darauf, die Identität des Verfassers zu verbergen und bei den Lesern den Eindruck zu wecken, dass 2 Thess eine *Paraphrase* des 1 Thess sei. Jedoch wird der 1 Thess im 2 Thess nicht nur paraphrasiert, sondern auch verkürzt und weiter geführt.

[42] Vgl. G. Theißen, Das Neue Testament, München 2002, 10.

bung, für die der erste Brief zur Gemeindetradition zählt, in Frage kommen, mag er sich auch an zweiter Stelle an weit mehr Gemeinden wenden.[43] Dabei muss man berücksichtigen, dass der erste Thessalonicherbrief nicht nur in Thessaloniki aufbewahrt worden ist, sondern höchstwahrscheinlich in mehreren Gemeinden in Abschriften kursierte. Zu den Gemeinden, die eine Abschrift des ersten Thessalonicherbriefs besaßen, dürften die Gemeinden in Makedonien, insbesondere die in Philippi, gehört haben. Aufgrund ihrer geographischen Nähe zu Thessaloniki (ca. 150 km) und des regen Verkehrs auf der Via Egnatia[44] konnten sich die Philipper mit den Thessalonichern eng verbunden fühlen, so dass die thessaloniche Tradition ihnen nicht fremd gewesen sein dürfte.[45] Nach P. Pilhofer war in der Mitte des 2 Jh. eine Gruppe von Büchern in der Bibliothek der Gemeinde Philippi vorhanden, darunter u.a. mit »an Sicherheit grenzender Wahrscheinlichkeit« der erste Thessalonicherbrief.[46] Ausgehend von der Aufforderung in 1 Thess 5,27, den Brief allen Brüdern vorzulesen, ist leicht vorstellbar, dass eine Abschrift des ersten Thess bald in die Hände der philippischen Gemeinde gelangen konnte. Das hieße dann: Andere Gemeinden in Makedonien kommen genauso gut wie die in Thessaloniki als mögliche Adressaten in Frage.

4. Der Abfassungsort des 2 Thess

Die bisherigen Überlegungen können durch die Frage nach dem Abfassungs ort präzisiert werden. In der Forschung wird Thessaloniki als Abfassungsort des zweiten Briefes oft von vornherein mit der Begründung ausgeschlossen, dass man einen nachahmenden pseudepigraphen Brief wie den zweiten Thessalonicherbrief nicht dorthin hat richten können, wo der originale Brief aufbewahrt wurde, denn dann wäre in Kürze herausgekommen, dass der zweite Brief eine Nachahmung sei.[47] Das ist zu kurzschlüssig gedacht. Wie

---

[43] Gegen W. Trilling, 2 Thess, 27f, der Thessaloniki samt Umgebung, Makedonien oder Achaja als mögliche Abfassungsorte ausschließt, aber *asia minor* für möglich hält.

[44] Die römische Heeresstraße von Rom nach Osten und umgekehrt.

[45] Umgekehrt gilt auch, dass die thessalonische Gemeinde sich mit der Tradition der Gemeinde Philippi verbunden gefühlt hat. Selbst Paulus erzählte in 1 Thess 2,1 ganz unbefangen von seiner Erfahrung in Philippi, wie er dort gelitten hat.

[46] Philippi. Die erste christliche Gemeinde Europas Bd. I, WUNT 87, Tübingen 1995, 256f.

[47] Z.B. W. Trilling, 2 Thess, 28; E. Reinmuth, Thess, 161; P.W. Schmiedel, Thess, 11: »Bestimmungsort braucht bei Unechtheit des Briefes nicht Th(essaloniki) zu sein, wo derselbe überdies leicht als unpaulin(isch) erkannt werden konnte.« Dagegen ist für Ph. Vielhauer Makedonien (oder auch Kleinasien) als Abfassungsort zu vermuten, weil »2 Thess erstmalig im Brief des Polykarp von Smyrna zitiert und in Philippi als bekannt vorausgesetzt wird« (Geschichte der

wir oben bereits sahen, ist die Nachahmung des 1 Thess durch den 2 Thess ja als ein Versuch des Verfassers zu verstehen, an einen Konsens in der Gemeinde in Thessaloniki anzuknüpfen, sich selbst darin zu verankern und die Gemeindemitglieder dann zu jenem Punkt hin zu bewegen, zu dem der Verfasser des 2 Thess sie bringen will.[48]

Dennoch bringt die Ansicht, Thessaloniki sei der Abfassungsort des zweiten Briefes, die oben angesprochene Schwierigkeit mit sich. Wie soll man sich vorstellen, dass die zur Zeit des 2 Thess wahrscheinlich z.T. noch lebenden Mitglieder der Frühzeit der Gemeinde auf den zweiten Brief reagiert haben, wenn dieser zum allerersten Mal in ihrer Stadt nach langer Zeit auftauchte.[49] Folgende Fragen sind sicherlich gestellt worden: Wer hat den Brief entdeckt, wann, wie und wo? Der Autor bzw. die Autoren, die möglicherweise zugleich mit den *Entdeckern* des Briefes identisch waren, werden unvermeidlich mit solchen Fragen konfrontiert gewesen sein, sodass irgendwann der Verdacht aufkommen musste, dass seine Entdeckung und Abfassung ganz nah beieinander lagen – kurz, dass es sich nicht um einen echten Paulusbrief handeln konnte.

Allerdings hätten die Thessalonicher trotz eines solchen Verdachts wohl weniger Vorbehalte gehabt, wenn der Brief an einem anderen Ort außerhalb ihrer Stadt aufgetaucht wäre. Dann hätten sie mit der Möglichkeit rechnen können, dass die Ablieferung des Briefes an ihre Gemeinde aus irgendeinem Grund nicht zustande gekommen war – ein Zustellungsproblem dürfte damals keine Seltenheit gewesen sein![50] Dafür hätten sie deshalb Verständnis haben können. Außerdem werden die Thessalonicher ungern auf einen an sie gerichteten Brief verzichtet haben, in dem so vieles an ihren ersten Brief erinnerte – nur weil es den vagen Verdacht gab, er könne gefälscht

---

urchristlichen Literatur. Einleitung in das Neue Testament, die Apokryphen und die Apostolischen Väter, Berlin u.a. 1975, 102).

[48] G. Theißen, Gospel Writing and Church Politics. A Socio-rhetorical Approach, Hongkong 2001, 3, auf den diese Herangehensweise zurückgeht, schreibt diesbezüglich: »Every leader must share the convictions of his group. Only one, who is rooted in the group and represents the consensus within the group has authority [...]. The more they [Gospels s.c.] departed from the tradition, the more their Gospel needed self-legitimation. But the more they were embedded in the tradition, the less they had to justify their own work, and focussing instead on the truth of their traditions.«

[49] So auch A. Malherbe, Thess, 374: »Would the Thessalonians not have been suspicious of a letter written to them but whose delivery was delayed for more than forty years, especially when the letter itself raises issues about letter writing?« Bereits vor ihm E. v. Dobschütz, Thess, 36: »Es ist auf alle Fälle schwer zu verstehen, wie ein Brief mit Adresse an eine bestimmte Gemeinde unwidersprochen Eingang in die von allen christlichen Gemeinden gebrauchte Sammlung gefunden haben soll.«

[50] Anders bei E. v. Dobschütz, Thess, 36: »Wenn er [der zweite Brief s.c.] in Rom oder sonst wo auftauchte, so konnte das in Thess selbst nicht unbemerkt bleiben [...]. Wrede hat Recht, wenn er sagt, die Rezeption begreife sich um so leichter, je größer der Abstand (zeitlich und räumlich) sei: aber ich sehe bis in den Anfang des 2 Jahrh. dafür keinen Raum.«

sein. Dies ist umso unwahrscheinlicher in einer Zeit, in der die Autorität des Paulus aufgrund seines Todes nicht mehr direkt erlebt werden konnte. Ein weiterer Brief des Paulus an ihre Gemeinde konnte nur die Bedeutung ihrer Gemeinde erhöhen. Sie hatten ein starkes Motiv, einen weiteren an sie gerichteten Paulusbrief positiv zu rezipieren.

Das gilt auch in anderer Hinsicht: Auch die Christen, in deren Stadt der Brief aufgetaucht ist, werden, anders als die Thessalonicher selbst, den Brief positiv rezipiert haben, da für sie die Entdeckung eines Briefes des Paulus eine Ehre gewesen sein dürfte – selbst dann, wenn er an eine andere Gemeinde gerichtet war. Und wenn dann noch Ähnlichkeiten zwischen dem Brief und einem ihnen bekannten Brief wahrgenommen wurden, so wäre das für sie eine Art Garantie seiner Echtheit gewesen. Ein Verdacht gegen seine Echtheit hätte hier noch weniger als in Thessaloniki selbst aufkommen können. Sie konnten jeden in diese Richtung weisenden Verdacht leicht beiseite schieben und den Brief mit Stolz und Freude als echten Paulusbrief lesen.

Welcher Ort kommt unter diesen Umständen als Abfassungsort in Frage?[51] E. Schweizer hat vor mehr als 50 Jahre die These vertreten, der zweite Thessalonicherbrief sei ursprünglich ein Philipperbrief gewesen, der fälschlicherweise den Titel »Zweiter Brief an die Thessalonicher« bekommen habe.[52] Das war eine gewagte These, die von W. Michaelis[53] zu Recht zurückgewiesen wurde. Trotzdem bleibt eines der Argumente von E. Schweizer gültig, nämlich dass 2 Thess zum ersten Mal bei Polykarp 11,3f ohne explizite Markierung zitiert wird.[54] Polykarp greift in Phil 11,3 mit: »Rühmt er [Paulus s.c.] sich doch eurer in allen Gemeinden« deutlich auf 2 Thess 1,4 zurück: »Darum rühmen wir uns euer unter den Gemeinden Gottes.« Unmittelbar danach lässt er in Phil 11,4 erneut eine Stelle aus dem 2 Thess anklingen: »Und haltet ihn (d.h. einen ungehorsamen Bruder) nicht für einen Feind, sondern weist ihn zurecht als einen Bruder« (2 Thess 3,15). Er mahnt zu einem rücksichtsvollen Umgang mit dem Sünder Valens mit den Worten: »Seid also auch ihr besonnen in dieser Angelegenheit und betrachtet solche nicht als Feinde, sondern ruft sie als leidende und irrende Glieder

---

[51] Wir können hier eine ältere Theorie undiskutiert lassen, weil sie mit der Entstehung des 2 Thess vor dem 1 Thess rechnet. Für H. Ewald, Die Sendeschreiben des Apostels Paulus, Göttingen 1857, 16–19. 31–33, galt die Stadt Beröa als Abfassungsort, weil der nach Apg 17,10 in Thessaloniki nicht erschienene Timotheus in 2 Thess 1,1 erwähnt wurde, und seine Anwesenheit nach Apg 17,14 erst in Beröa bestätigt wurde, wobei es nicht vorstellbar sei, dass Paulus in der Zeit weiter als Beröa gelangt sei (Nach G. Wohlenberg, Thess, 13, ist auch Laurent derselben Meinung).

[52] Der zweite Thessalonicherbrief ein Philipperbrief?, in: ThZ 1(1945), 90–105 und Replik, in: ThZ 1(1945), 286–289, und Zum Problem des zweiten Thessalonicherbriefes, in: ThZ 2(1946), 74–75.

[53] Der zweite Thessalonicherbrief kein Philipperbrief, in: ThZ 1 (1945), 282–286.

[54] Vgl. Milligan, lxxvii.

zurück, um den Leib von euch allen gesund zu machen!« Da Polykarp mit solchen Anspielungen, ohne eine bestimmte Absicht zu verfolgen, eine Verbindung der Stadt Philippi mit dem zweiten Thessalonicherbrief bezeugt,[55] ist die Vermutung erlaubt, dass der zweite Brief in Philippi zum ersten Mal aufgetaucht sein könnte. Polykarp könnte eine Verbindung des Briefes mit Philippi in irgendeiner Weise bewusst gewesen sein. Zumindest setzt er voraus, dass der 2 Thess den Lesern seines Briefes sehr gut vertraut ist. Vielleicht hat er deshalb in seinem Philipperbrief die oben angeführten unmarkierten Zitate gebracht.

Wenn diese Überlegungen in die richtige Richtung gehen, hätten wir ein gewichtiges Argument für unsere Frage nach dem Entstehungsort des 2 Thessalonicherbriefs, denn für die meisten Fälle gilt, dass der Entstehungsort eines Pseudepigraphon »entweder dort zu suchen« ist, »wohin der ›Brief‹ angeblich gerichtet ist, oder dort, wo er zuerst auftaucht«.[56] Diese Annahme lässt sich durch zwei textinterne Indizien unterstützen: Zwei Stellen aus dem echten Philipperbrief des Paulus scheinen im 2 Thess weiter zu wirken: Phil 1,28 und 4,15.

Zu Phil 1,28: Es ist bekannt, dass 2 Thess fast ausschließlich 1 Thess aufgenommen hat, während andere paulinischen Briefe kaum berücksichtigt wurden. Dennoch lässt Phil 1,28 an einige Stellen an 2 Thess denken. Zunächst ähnelt der Grundtenor, der in Phil 1,28 wahrzunehmen ist, dem von 2 Thess 1,4ff:[57] In Phil 1,28 ist die Rede von »Anzeichen der Verdammnis für sie und der Seligkeit für euch«, in 2 Thess 1,4ff von »Anzeichen für Gottes gerechtes Urteil, nämlich den Bedrängenden Bedrängnis, euch Ruhe«. Obwohl die griechischen Wörter nicht identisch sind, auch wenn die Wörter ἔνδειγμα sowie ἔνδειξις die gleiche Herkunft aufweisen, so können doch die dahinter liegenden Vorstellungen als identisch angesehen werden. Hinzu kommt das Wort Widersacher (τῶν ἀντικειμένων) aus Phil 1,28, das ebenfalls in 2 Thess 2,3 begegnet, auch wenn damit unterschiedliche Personen gemeint sind. Schließlich taucht auch noch das Wort Verdammnis aus Phil 1,28 in 2 Thess 2,3 wie 2,7 auf. Es ist also denkbar, dass ein Stück des Philipperbriefs und der darin zum Ausdruck kommende Vorstellungen bei der Entstehung des 2 Thess nachgewirkt haben. Der Verfasser bewegte sich hier möglicherweise unbewusst in seiner eigenen Tradition, nämlich der der philippischen Gemeinde und ihres Philipperbriefs.

---

[55] Dies ist allerdings für Exegeten wie W. Trilling, 2 Thess, 27f, unwahrscheinlich.

[56] Ph. Vielhauer, Geschichte der urchristlichen Literatur, 102.

[57] Unter der Voraussetzung, dass 2 Thess unecht wäre, sprach auch v. Dobschütz, Thess, 259, von einer Operation des Verfassers »mit paulinischen Reminiscenzen« (Phil 1, 28).

Zu Phil 4,15: Bekannt ist die Stelle 2 Thess 2,13: »Wir aber müssen Gott allezeit für euch danken, vom Herrn geliebte Brüder, dass Gott euch als erste (ἀπαρχήν) zur Seligkeit erwählt hat.« Fasst man das Wort »ἀπαρχήν« als »Erstling« auf, so macht die Stelle nur dann Sinn, wenn der heimliche Adressat die Gemeinde Philippi ist, denn sie wurde vom Apostel Paulus als erste Gemeinde in Makedonien und Europa missioniert. Er spricht in Phil 4,15 davon, dass er »am Anfang« (ἐν ἀρχῇ) seiner Predigt des Evangeliums von Philippi ausgezogen sei.[58] Es könnte sein, dass der Verfasser hier ungewollt seine Abfassungssituation preisgegeben hat, indem er nicht die Gemeinde in Thessaloniki, an die der Brief gerichtet ist, sondern seine eigene Gemeinde im Kopf hatte.

Ähnliches könnte man eventuell auch in 2 Thess 1,4f beobachten, wo der Verfasser sich selbst rühmt:

> Liebe Brüder, von Gott geliebt, wir wissen, dass ihr erwählt seid; denn unsere Predigt des Evangeliums kam zu euch nicht allein im Wort, sondern auch in der Kraft und in dem heiligen Geist und in großer Gewissheit. Ihr wisst ja, wie wir uns unter euch verhalten haben um euretwillen.

Der nachpaulinische Verfasser denkt hier an Paulus und nicht an sich selbst, obwohl er in dessen Rolle hineingeschlüpft ist. Er rühmt Paulus, wie sich Paulus selbst wohl nicht gerühmt hätte (man vergleiche nur 1 Kor 2,2, wo Paulus sagt, dass er »in Schwachheit und in Furcht und mit großem Zittern« zu den Korinthern gekommen ist). Dadurch gibt der Verfasser preis, dass eine gewisse Distanz zwischen Paulus und ihm besteht.

Die enge Verbundenheit der beiden Städte, die für unsere Annahme von Philippi als Abfassungsort vorauszusetzen ist, wird übrigens durch die paulinische Anwendung des Oberbegriffs Makedonien für die dortigen Gemeinden in 2 Kor indirekt bezeugt. In 2 Kor 2,13; 7,5; 9,2.4 hätte Paulus, wenn er gewollt hätte, die Gemeinden in Makedonien differenziert nennen können, er tut es aber nicht. Zwar benutzt Paulus dort die Bezeichnung Makedonien im Gegensatz zu Achaia, aber wenn man berücksichtigt, dass im Gegensatz zu Achaia, wo uns hauptsächlich die Gemeinde in Korinth bekannt ist, Makedonien mindestens zwei Gemeinden (eventuell sogar drei, wenn Beröa mitgezählt wird; vgl. Apg 17,10–13) umfasst, dann wird mit Makedonien die enge Verbundenheit der beiden Gemeinden unterstrichen. Selbst wenn Paulus mit Makedonien nur Philippi gemeint hätte, ändert das nichts daran, weil in diesem Fall die Stadt Philippi als Repräsentantin für ganz Makedonien angesehen werden müsste.

---

[58] Aus Röm 16,5 sowie 1 Kor 16,15 ist zu vermuten, dass eventuell Paulus selbst die Gemeinde Philippi so genannt haben könnte.

Standen die beiden christlichen Gemeinden in enger Verbundenheit zueinander, so ist die Annahme möglich, dass sie ihre paulinischen Lehrtraditionen ausgetauscht und sich so gegenseitig beeinflusst haben.[59]

Es ist daher sinnvoll, sich ein Bild über die Städte Thessaloniki und Philippi zu verschaffen.

5. Die Stadt Thessaloniki und Philippi

5.1 Thesssaloniki[60]

Die Gründung der Stadt geht auf Kassander in das Jahr 315 oder 316 v.Chr. zurück, der sie zu Ehren seiner Frau nach ihrem Namen Thessalonike genannt hat. Nachdem die Römer das Land Makedonien besiegt hatten (168 v.Chr.), teilten sie Makedonien in vier Staaten, wobei Thessaloniki zur Hauptstadt eines der Teilstaaten wurde. Nach der Überwältigung des von einem gewissen Andriskos geführten Aufstandes in 148 v.Chr. wurde Makedonien zu einer römischen Provinz, wobei die Stadt Thessaloniki wegen ihrer loyalen Haltung gegenüber den Römern zur Hauptstadt und damit zum Sitz des Statthalters und der Provinzverwaltung befördert wurde. Die weitere Entwicklung der Stadt Thessaloniki verdankte sich dem Bau der römischen Heeresstraße Via Egnatia, etwa um 125 v.Chr., die über Thessaloniki das Land Italien und die Provinzen im Osten miteinander verband. Diese Verbindung führte dazu, dass Wirtschaft und Handel der Stadt florierten, wobei sich wohl auch einige Kaufleute aus Rom in Thessaloniki niederließen.[61]

Im Lauf der weiteren Geschichte stand Makedonien im Mittelpunkt der Weltgeschichte. Der Hauptgrund dafür waren die Bürgerkriege, die auf dem Boden Makedoniens geführt wurden. Im Jahr 49 v.Chr. begab sich Pompei-

---

[59] Dafür sprechen folgende Überlegungen. Erstens spricht dafür, wie P. Philhofer, Philippi, 256, vermutet, das Vorhandensein des 1 Thess in Philippi. Dass die Gemeinde Philippi dadurch unter Einfluss thessalonischer paulinischer Tradition gestanden haben kann, versteht sich von selbst. Man denke als Analogie an die Einflussnahme des MkEv auf das MtEv. Wenn diese Einflussnahme nicht zu leugnen ist, kann kaum bestritten werden, dass die Gemeinden Philippi und Thessaloniki aufgrund ihrer kurzen Entfernung und des regen Verkehrs zwischen ihnen voneinander beeinflusst werden konnten. Wenn man den zeitlichen Abstand zwischen den beiden Evangelien mit etwa zehn Jahren veranschlagt, wie viel mehr Einfluss könnte man sich dann zwischen diesen Gemeinden vorstellen, die sehr früh von den Briefen an die jeweils benachbarte Gemeinde erfahren haben.

[60] Die folgende Ausführung basiert auf Ch. v. Brocke, Thessaloniki – Stadt des Kassander und Gemeinde des Paulus. Eine frühe christliche Gemeinde in ihrer heidnischen Umwelt, Tübingen 2001, 12–20; W. Elliger, Paulus in Griechenland. Philippi, Thessaloniki, Athen, Korinth, SBS 92/93, Stuttgart 1978, 79–81 und 87–90.

[61] Vgl. Ch. v. Brocke, Thessaloniki, 75f sowie 94ff.

us der Große mit mehr als der Hälfte des Senats der Stadt Rom nach Thessaloniki. Die Stadt wurde für kurze Zeit quasi zum Zentrum der römischen Republik – ihr Versammlungsplatz wurde zu römischem Staatsboden erklärt. Nach dem Ende dieses Bürgerkrieges verging nur kurze Zeit bis der nächste Bürgerkrieg auf dem Boden Makedoniens geführt wurde (44 v.Chr.). Die Caesarenmörder Brutus und Cassius verschanzten sich in Makedonien, kämpften in Philippi die entscheidende Schlacht gegen Antonius und Oktavian und wurden von den beiden besiegt (42 v.Chr.). Die Stadt Thessaloniki erwies sich wieder als loyal, denn sie war während des Krieges »caesartreu«[62] und wurde deswegen belohnt. Sie erlangte den Status der *civitas libera*,[63] d.h. sie war fortan befreit von den Abgaben, die sie bislang an Rom zu leisten hatte. Dies war ein entscheidendes Ereignis in der Geschichte der Stadt.

Als Oktavian im Jahr 31 v.Chr. bei Actium über Antonius und Kleopatra siegte, war die Gefahr eines weiteren Bürgerkriegs endgültig vorüber, Kriegslasten und -schäden wurden behoben. Zu Ehren dieses Ereignisses wurde in Makedonien eine neue Zeitrechnung, die Aktische Ära, als offizielle Zeitrechnung von 31 v.Chr. an, eingeführt.[64] Die Friedenspolitik des neuen Kaisers Augustus begünstigte nun die Entwicklung der Stadt Thessaloniki: Durch die Neuorganisation der Balkanländer und die Neugliederung der Provinz Macedonia wurde Makedonien in die Sicherheitszone einbezogen und lag nun nicht länger im Randgebiet des Imperiums. In der Folgezeit nahmen die Gefährdungen des Landes ab.[65] Wirtschaft und Handel florierten wieder, und zwar im Zentrum des Landes, in der Stadt Thessaloniki, so dass diese nach der Einschätzung des Dichters Antipatros zur »Mutter von ganz Makedonien« wurde und zugleich die volkreichste Stadt der ganzen Gegend war.[66]

Es ist daher kein Wunder, dass der princeps Augustus in der Stadt Thessaloniki in hohem Maße zusammen mit seinem Adoptivvater Caesar durch religiöse Kulte verehrt wurde. Für sie wurden noch zu Lebzeiten des Augustus ein Tempel gebaut und Münzen hergestellt. Da die religiöse Verehrung im Osten politische Dimensionen hatte, stellte eine solche Verehrung ein Loyalitätszeichen der Stadt Thessaloniki dar. Dies zeigt sich besonders

---

[62] Ebd., 16. In den Status einer *civitas libera* wurde die Stadt Thessaloniki aufgrund ihrer während der Schlacht in Philippi (42 v.Chr.) erwiesenen Loyalität erhoben. Dieser Status stellt »eine Stufe politischer und wirtschaftlicher Souveränität« dar (ebd., 17).

[63] Vgl. Plinius d. Ä, nat. IV, 36: »An der makedonischen Küste der Bucht ist die Stadt Chalstra [...] und mitten in der Krümmung der Küste *Thessaloniki mit freier Rechtstellung* [...].« (Übersetzung von G. Winkler mit R. König, C. Plinius Secundus d. Ä., Naturkunde Latein-Deutsch Bücher III/IV Geographi Europa, Darmstadt 1988).

[64] Vgl. Ch. v. Brocke, Thessaloniki, 18.

[65] Vgl. W. Elliger, Griechenland, 89.

[66] Vgl. ebd; v. Brocke, Thessaloniki, 19.

darin, dass die Weihschrift für das Caesareum von einem hochrangigen Politarchen der Stadt Thessaloniki unterschrieben wurde.

Die Münzprägung bezeugt ebenfalls die besondere Verehrung des Augustus durch die Stadt Thessaloniki. Eine am Anfang der augusteischen Regierungszeit geprägte Münzserie zeigt auf der Vorderseite Iulius Caesar mit Lorbeerkranz und der Umschrift »Theos«, auf der Rückseite Octavian mit der Umschrift Thessalonikeon.[67] Nach L. Hendrix ist diese Münzdarstellung überhaupt die erste, die auf der Vorderseite einen Römer zeigt.[68]

5.2 Philippi

Die Stadt Philippi war zur Zeit des Römischen Reiches eine römische Kolonie.[69] Als solche wurde sie von Antonius zur Versorgung seiner Veteranen nach der Doppelschlacht in Philippi im Jahr 42 v.Chr. gegründet. Im Unterschied zu anderen Koloniegründungen brachte die Gründung Philippis keine großen Veränderungen für die einheimische Bevölkerung, weil dort ursprünglich nur ein kleines Gebiet besiedelt war.[70] Wie schon der Gründungsanlass erkennen lässt, verhielt sich auch die Stadt Philippi gegenüber dem Römischen Reich in einem hohen Maße loyal. Daran änderte sich auch nichts, als die Stadt im Jahr 31 v.Chr. von Augustus praktisch neu gegründet wurde.[71] Um nach seinem Sieg über Antonius und Kleopatra in Actium die große Zahl seiner entlassenen Soldaten zu versorgen, schickte Augustus enteignete italienische Bürger aus Rom zusammen mit Prätorianern nach Philippi. Weder die neuzugezogenen italienischen Bürger noch die in Philippi bereits niedergelassenen, Antonius nahestehenden Veteranen standen in einem guten Verhältnis zu Augustus. Dennoch zeigte sich die Stadt Philippi bald als Kolonie *des Augustus*. Der Grund hierfür könnte eventuell darin zu finden sein, dass, wie Bormann vermutet, Augustus die Soldaten des Antonius ohne irgendeine Strafe in sein Heer übernommen hat.[72] Jeden-

[67] H.L. Hendrix, Thessalonicans Honor Romans, Diss., Harvard 1984, 170ff.

[68] Ebd.

[69] Die römische Kolonialpolitik hat neben dem ursprünglichen Ziel, »landlosen römischen Bürgern eine ausreichende agrarische Existenzgrundlage zu verschaffen«, schon seit Augustus das Ziel, die ausgedienten Kriegsveteranen zu versorgen (Vgl. L. Bormann, Philippi. Stadt und die Christengemeinde zur Zeit des Paulus, STNT 78, Leiden u.a 1995, 11f).

[70] Philippi war vor der Gründung als römische Kolonie ein wenig bedeutender Ort, ein »κάτοικα μικϱά« (Strabon, VII, Fragment 41).

[71] Vor der Neugründung Philippis durch Augustus war die Stadt für ihn, wegen ihrer Antonius nahestehenden politischen Tendenzen, eine potentielle Gefahr obwohl sie in seinem Machtbereich lag.

[72] Bormann, Philippi. Stadt und die Christengemeinde zur Zeit des Paulus, STNT 78, Leiden u.a. 1995, 18.

falls ist die romtreue Haltung der Stadt Philippi auf ihr militärisches Milieu zurückzuführen, was sich in vielen Inschriften von hochrangigen Offizieren oder einfachen Mannschaftsdienstleistenden erkennen lässt.[73]

Eine besondere Bedeutung kommt der Stadt Philippi dadurch zu, dass sie als Station an der Via Egnatia lag. Der römischen Großmachtpolitik diente die Stadt Philippi über die Jahrhunderte hinweg als Durchgangsstation: Römische Heere, Gesandte und offizielle Briefe wurden durch Philippi nach *asia minor*, Syrien sowie eventuell auch (auf dem Landweg) nach Alexandrien geschickt.[74] Von Rom nach Byzantium soll es 24 Tage, von Byzantium nach Alexandria 30 Tage gedauert haben.[75] Da auch die vielbenutzte Hafenstadt Neapolis dem Territorium Philippi angehörte, war Philippi für den Seeweg in den Osten des römischen Reiches und von dort zurück eine unverzichtbare Station. Dass der rege Verkehr sowie der häufige Handel der Stadt Philippi zugute kam, bedarf keiner zusätzlichen Erklärung. Als Verkehrs- sowie Handelszentrum[76] war Philippi auch durch sein vergleichsweise großes Territorium[77] geprägt, so dass weitere Immigrationen von römischen Bürgern[78] möglich waren.[79] Letzteres war wohl der Grund dafür, dass sich die Stadt Philippi inmitten einer hellenistischen Umwelt und trotz des regen Verkehrs ihre römische Identität[80] bewahren konnte.

Vielleicht ist an dieser Stelle auf das Verhältnis zwischen der Stadt Philippi und den dortigen Christen hinzuweisen, welches dem Philipperbrief, besonders 1,27, zu entnehmen ist.[81] Für die römischen Beamten in Philippi war die Forderung des Paulus, μόνον ἀξίως τοῦ εὐαγγελίου τοῦ Χριστοῦ πολιτεύεσθε, aufgrund des nicht-römischen, überregionalen Zugehörigkeitscharakters der Christen kaum akzeptabel.[82] Die Christen stellten aus

---

[73] Vgl. Bormann, Philippi, 28 besonders Anm. 98 u. 99.

[74] Vgl. Bormanns Verweis (Philippi, 27. Anm. 89) auf Sueton, Tiberius 14: »Als er [Tiberius s.c.] dann später auf seinem ersten selbständigen Feldzug das Heer durch Makedonien nach Syrien führte, geschah es, dass bei Philippi von den vor Jahren errichteten Altären der siegreichen Legionen plötzlich von selbst Flammen aufloderten […].«

[75] Vgl. Bormann, Philippi, 27 Anm. 90.

[76] Vgl. Pilhofer, Philippi, 83–85. Neben Verkehr und Handel war Philippi auch durch seine Landwirtschaft geprägt. Der fruchtbare Boden war für Getreide- sowie Weinanbau geeignet (vgl. ebd., 78–81).

[77] Ausführlich darüber s. Pilhofer, Philippi, 52–77.

[78] Zahlenmäßig machten nicht Römer sondern Thraker die Mehrheit aus, jedoch hatten die Römer im ersten und zweiten Jahrhundert die einflussreicheren Positionen inne (vgl. Pilhofer, Philippi, 85–92).

[79] Vgl. Bormann, Philippi, 28.

[80] Im ersten und zweiten Jahrhundert waren in Philippi Theateraufführungen, lateinische Schauspiele, das Forum im römischen Stil, lateinische Inschriften, und römische Götter an der Tagesordnung (vgl. Pilhofer, Philippi, 91).

[81] Vgl. Bormann, Philippi, 217–224.

[82] Pilhofer, Philippi, 137f.

Sicht der Römer eine potentielle Gefahr für die römische, von alters her überlieferte Ordnung dar.[83] Wie dieses konfliktreiche Verhältnis zwischen den Christen in Philippi und der Stadt selbst für unsere Arbeit zu bewerten ist, werden wir am Ende der Arbeit sehen.

[83] Vgl. R. MacMullen, Enemies of the Roman Order. Treason, Unrest, and Alienation in the Empire, London 1992 (ursprünglich Cambridge (Massachusetts) 1966).

II. 2 Thess 2,1–12

Der für unsere Arbeit entscheidende Text ist die eschatologische Lehre in 2 Thess 2,1–12. Dieser Text hat eine aufschlussreiche Struktur. In 2,1–2 polemisiert er zunächst gegen die falsche präsentische Eschatologie. Dann folgt eine grundsätzliche Belehrung, bei der sich zwei Teile unterscheiden lassen: In 2,3–7 geht es um Ereignisse, die vor der Parusie des Herrn Jesus geschehen, in 2,8–12 um die Parusie selbst. Innerhalb dieser beiden Teile aber lässt sich eine interessante temporale Struktur erkennen, aus der man erste Hinweise auf eine Traditionsgeschichte hinter dem Text entnehmen kann.

Der Verfasser bringt zunächst eine eschatologische Lehre über einen geheimnisvollen »Menschen der Gesetzlosigkeit«, der sich als Gott in den Tempel setzen wird (2,3–4). Hier wird die Frage geklärt: *Was wird dem Ende vorhergehen*? Dann wird der Text durch eine metakommunikative Bemerkung unterbrochen: Der fiktive Paulus erinnert an eine Belehrung, die er den Thessalonikern bei seinem Besuch gegeben hat (2,5). Sie betrifft die Verzögerung der Offenbarung dieses Geheimnisses der Gesetzlosigkeit (2,6–7) und greift damit zeitlich vor das vorher in 2,3–4 angekündigte Endgeschehen zurück. Eingeleitet durch diese Unterbrechung wird die Frage beantwortet: *Was hat das Vorspiel des Endes bisher verzögert*? Diese Struktur kann man so deuten: Eine im Prinzip schon bekannte Lehre über das Auftreten eines Gesetzlosen vor dem Ende (2,3–4) wird – eingeleitet durch eine metakommunikative Bemerkung – nachträglich (in 2,6–7) korrigiert und richtig gestellt. Bei dieser nachträglichen Korrektur wird dann die bei eschatologischen Belehrungen eigentlich nahe liegende chronologische Reihenfolge umgekehrt.

Diese merkwürdige zeitliche Struktur wiederholt sich nun im zweiten Teil der eschatologischen Lehre, der durch die Aussage: »Und dann wird der Gesetzlose offenbar werden« (2,8), eingeleitet wird. Seiner Offenbarung folgt unmittelbar die Parusie des Herrn Jesus, der dem Gesetzlosen ein Ende bereiten wird (2,8). Ab 2,9ff aber greift der Verfasser erneut zeitlich vor das schon Angekündigte zurück: Er schildert noch einmal ausführlich die Offenbarung des Gesetzlosen – jetzt aber eindeutig als ein Gegenbild zur Parusie Jesu, indem er auch diese Offenbarung des Bösen eine »Parusie« nennt. Die »Offenbarung« des Gesetzlosen (am Anfang von 2,8) geht zwar der Parusie des Herrn Jesus voran (2,8). Aber erst nachdem die Vernichtung des Gesetzlosen angekündigt (am Ende von 2,8) worden ist, wird das vorhergehende Auftreten des Gesetzlosen und seine verführerische Macht als Gegen-Parusie geschildert (2,9–12). Auch hier liegt die Vermutung nahe, dass die Umkehr der temporalen Folge eine nachträgliche Präzisierung anzeigt: So wie im ersten Teil die Offenbarung des Gesetzlosen durch die nachträgliche Lehre vom »Aufhaltenden« korrigiert wird (2,5–7), so im zweiten Teil die Offenbarung des Gesetzlosen durch deren Schilderung als eine »Gegen-Parusie«, die eine ungeheuer verführerische Macht entfaltet (2,9–12).

Bei der Suche nach einer Vorgeschichte des 2 Thess gibt es einen Vorläufer: P. Schmidt sah in dem uns jetzt vorliegenden zweiten Thessalonicherbrief die Redaktionsarbeit eines paulinischen Schülers und unterschied dabei zwischen einem ursprünglichen paulinischen Brief (1,1–4; 2,12; 2,13–3,18) und dem von seinem Schüler um 70 hinzugefügten Teil.[1] Seine These kann nicht aufgenommen werden. P. Schmidt betrachtet die eschatologische Lehre insgesamt als einen Zusatz. Wir können auch die noch erkennbaren Schichten nicht literarkritisch in einen ursprünglichen Text und Zusätze unterscheiden, aber sein Ansatz, den Text überhaupt auf zwei Ebenen zu betrachten, ist positiv zu würdigen. Traditionsgeschichtlich wird hinter dem Text eine Geschichte sichtbar, die sich in der eben skizzierten Textstruktur im Text selbst andeutet.

1. Die Vorgeschichte der eschatologischen Tradition in 2 Thess 2,1–12

Wir beginnen die Diskussion dieses Textes mit 2,5, wo der Verfasser an eine vorhergehende mündliche Belehrung des Paulus in Thessaloniki erinnert. Mit seiner Hilfe versuchen wir, die noch erkennbare Vorgeschichte des Textes so weit wie möglich zu erhellen. Die Analyse der Textstruktur gibt dazu erste Hinweise, da sie eine vorgegebene Lehre und zwei nachträgliche Korrekturen (1) über das »Aufhaltende« und (2) über die »Gegen-Parusie« des Gesetzlosen erkennen lässt.

1.1 Erinnerung an eine mündliche Paulustradition in 2 Thess 2,5?

Der fiktive Paulus greift an einer zentralen Stelle auf eine Vorgeschichte des 2 Thess zurück. Er schreibt: »Erinnert ihr euch nicht daran, dass ich

[1] Der erste Thessalonicherbrief. Nebst einem Excurs über den zweiten Gleichnamigen Brief, Berlin 1885, 111–128.

euch dies sagte, als ich noch bei euch war?« Zum Verständnis dieses Schlüsselverses finden sich in der Forschung drei Interpretationsvarianten:

In dem Satz wird ein »Stilmittel pseudepigraphischer Technik« greifbar. Der Autor des 2 Thess erhebt hier mit Hilfe der thessalonichen Tradition (1 Thess 3,3f) seinen Echtheitsanspruch.[2] Dabei wird dem durch das Stilmittel pseudepigraphischer Technik vorgetragenen Inhalt jegliche Authentizität abgesprochen. Das zieht dann die Frage nach sich, wie diese Pseudepigraphie zu legitimieren sei. F. Laub machte zu Recht darauf aufmerksam, dass die Pseudepigraphie »nach heutigem Kenntnisstand nicht mehr einfach als unanstößige beliebte Literaturform abgetan« werden könne, sondern »als literarische Fälschung eingestuft werden muss«.[3] Es ist noch immer erklärungsbedürftig, wie Christen mit ihrem hohen Wahrheitsethos unechte Briefe schreiben konnten.[4]

Für die Vertreter der Echtheit des 2 Thess[5] spricht hier dagegen der echte Paulus zu seiner jungen Gemeinde.[6] Wie ist aber dann die auffällige Übereinstimmung beider Briefe zu erklären, die eine literarische Abhängigkeit erkennen lässt?[7] Und wie ist das Fehlen von Passagen im zweiten Brief, die ein persönliches Verhältnis zwischen Paulus und seiner Gemeinde bezeugen, zu rechtfertigen und zu erklären? All das konnte bisher nicht verständlich gemacht werden, obwohl viele Versuche dazu unternommen wurden.[8]

Für F. Spitta spricht hier nicht Paulus sondern Timotheus, der stellvertretend für ihn die Gemeinde in Thessaloniki besucht hatte und der den

---

[2] W. Trilling, 2 Thess, 88. Ähnlich E. Reinmuth, Thess, 179.

[3] Laub, Thess, 42. Allerdings fragt er nicht weiter, *wie* der Verfasser sich davon überzeugen konnte, apostolische Autorität für sich zu beanspruchen.

[4] G. Theißen, Das Neue Testament, 82.

[5] Ich halte 2 Thess für unecht. Eine Diskussion darüber würde den Rahmen dieser Arbeit sprengen, daher verweise ich auf die überzeugenden Darlegungen anderer: W. Wrede, Echtheit; W. Trilling, Untersuchungen; W. Marxen, Thess. Auch die Diskussionen von R. Jewett, The Thessalonian Correspondence: Paulin Rhetoric and Millenarian Piety (Foundations and Facet), Philadelphia 1986, 3–23, und D. Schmidt, The syntactical Style of 2 Thessalonians. How Pauline is it?, in: Correspondence, 383–393, sind hilfreich.

[6] So z.B. A.J. Malherbe, Thess, 421. Für Bornemann, Thess, 363 und v. Dobschütz, Thess, 278, erinnert Paulus die thess Gemeinde hier mit einem leisen Tadel an frühere Aussprüche, die ihn missverstanden hätten (ähnlich J.E. Frame, Thess, 224). Für F. Bruce, Thess, 169, ist der Wechsel von ›wir‹ zu ›ich‹ ein Beweis dafür, dass sich hier Paulus, der doch den Brief diktierte, ganz persönlich einschaltete, d.h. dass er selbst den Stift nahm, um sich deutlich auszudrücken (vgl. dazu E.H. Askwith, ›I‹ and ›we‹ in the Thessalonian Epistles, Expositor 8,1 (1911), 149–151). Der Wechsel von ›wir‹ zu ›ich‹ stellt aber für W. Trilling, 2 Thess, 88, der sich an N. Brox anlehnt, eine der pseudepigraphischen Stilmittel dar (anders v. Dobschütz, Thess, 68).

[7] Vgl. W. Wrede, Echtheit; W. Marxsen, 2 Thess; W. Trilling, Untersuchungen.

[8] Z.B. R. Jewett, Correspondence. Zur Kritik seiner Ansicht der paulinischen Authentizität siehe G. Holland, »A Letter supposedly from us«. A Contribution to The Discussion About The Authorship of 2 Thessalonians, in: Correspondence, 394–402, dort 394f.

2 Thess im Auftrag des Paulus und mit seiner Autorisierung verfasst habe.[9] Es stellt sich allerdings die Frage, ob im Urchristentum die *schriftliche* Autorität des Timotheus anstelle der des Paulus vorstellbar ist. Die Pastoralbriefe sind ein Indiz dafür, dass selbst noch in späterer Zeit nicht die schriftliche Autorität der Mitarbeiter, sondern nur die des Paulus zählt. Die Autorität der paulinischen Mitarbeiter konnte wohl nur dann anerkannt werden, wenn sie noch in Verbindung mit Paulus (sei es mündlich oder schriftlich) standen.

Angesichts dieser Situation wurde eine vierte Interpretationsvariante vorgeschlagen, die in gewissem Sinne die beiden ersten gegensätzlichen Ansichten miteinander verbindet, aber gleichzeitig eine neue Deutung darstellt.[10] In v5 spreche zwar der pseudonyme Verfasser des 2 Thess, aber was den Inhalt betreffe, gehe dieser Vers auf den historischen Paulus zurück.[11] Gemeint ist eine Situation, in der die mündlichen Worte des historischen Paulus noch aufbewahrt und erinnert wurden, aber erst vom nachpaulinischen Verfasser des 2 Thess in schriftlicher Form wiedergegeben wurden.[12]

Die letzte Erklärung hat gegenüber den beiden erstgenannten den Vorteil, auf einige Fragen, die diese nicht beantworten können, eine Antwort zu geben. Ein Brief, der in wesentlichen Teilen auf echter (mündlicher) Paulustradition basiert, verstößt nicht gegen ein strenges Wahrhaftigkeitsethos und muss wenige Züge echter Korrespondenz enthalten:

Die Legitimität der *Pseudepigraphie* besteht darin, dass die Mitarbeiter des Paulus zu seinen Lebzeiten bereits als Stellvertreter bzw. Mitverfasser seiner Briefe tätig waren, sodass eine Weitergabe seiner Worte durch sie im Rahmen eines weiteren Briefes nicht von vornherein als Fälschung betrachtet werden kann; Man ist sich dessen bewusst, dass es die Worte des »historischen Paulus« sind und legt sie ihm mit gutem Gewissen in den Mund.[13]

Die auffälligen Übereinstimmungen zwischen 2 Thess und 1 Thess sowie das Fehlen von Angaben über die persönliche Beziehung können dann als Konsequenzen aus dieser Annahme erklärt werden. Da hier nicht mehr Paulus selbst, sondern seine Mitarbeiter stellvertretend für ihn schreiben, ist

---

[9] Der zweite Brief an die Thessalonicher, in: Ders., Zur Geschichte und Literatur des Urchristentums Erster Bd, Göttingen 1839, 109–154, dort 125. Seiner Meinung nach verfasste Timotheus den Brief, Paulus habe am Schluss mit seiner eigenen Handschrift den Gruß hinzugefügt.

[10] G. Theißen, Das Neue Testament, 86f.

[11] Eine mündliche Tradition des Paulus lässt sich auch in 3,10 vermuten, wo ähnlich wie in v2,5 der Ausdruck »als wir bei euch waren« vorkommt.

[12] Im Gegensatz zur Annahme einer mündlichen Tradition rechnet C.H. Giblin, 2 Thes 2 Reread as Pseudepigraphal. A Revised Reaffirmation of the Threat to Faith, in: Correspondence, 459–469 dort 460, mit einer eventuell von Paulus selbst verfassten schriftlichen Tradition.

[13] Vgl. G. Theißen, Das Neue Testament, 82–84. In dieser Hinsicht hat die These von Spitta, dass sich mit dem »ich« nicht Paulus sondern sein Mitarbeiter Timotheus persönlich zu Wort meldet, zumindest in ihrem Ansatz etwas für sich.

einerseits die Rekapitulation des ersten Briefes notwendig, um dem zweiten Brief die Aura der Echtheit zu verleihen, andererseits wird das Fehlen von persönlichen Angaben unter diesen Umständen verständlich. Eine »fiktive« Angabe über die persönliche Beziehung des mittlerweile durch Märtyrertod gestorbenen Paulus zu der Gemeinde wäre »eine bewusste Fälschung« von der Art, wie sie bei den Pastoralbriefen zu beobachten ist.[14]

Hinsichtlich der in 2 Thess 2,5 bezeugten Worte des Paulus stellt sich dann die weitere Frage, wann Paulus sie gesagt haben könnte. Das Imperfekt des Wortes *sagen* signalisiert, dass mit seinen Worten nicht eine einmalige Mitteilung gemeint ist, sondern dass es sich um wiederholte Ansagen handelt.[15] Die konkreten Aussagen von 2 Thess 2,5ff sind aber nicht im 1 Thess zu finden. In Frage kommen dann entweder der erste Besuch des Paulus in Thessaloniki, vor der Abfassung des 1 Thess, oder der zweite Besuch nach der Abfassung des 1 Thess.

2 Kor 2,13; 7,5; 9,2.4 sowie Apg 20,1f bezeugen einen zweiten paulinische Makedonienbesuch – zumindest als Durchreise von Kleinasien nach Korinth. Zwar sind die Besuchsorte dieser Makedonienreise nicht angegeben, jedoch ist ein Besuch in der Hauptstadt Makedoniens wahrscheinlich, nicht nur, weil die übliche Reiseroute, die Via Egnatia, durch sie hindurch führt, sondern vor allem weil Paulus die Gemeinde in Thessaloniki gegen seinen Willen plötzlich hatte verlassen müssen und das Wohlergehen der Gemeinde für ihn ein Herzensanliegen war (1 Thess 2,8; 3,1ff). Es wäre kaum vorstellbar, dass Paulus während einer Makedonienreise keine Zwischenstation in Thessaloniki gemacht hätte, da er sich doch mehrfach bemüht hatte, sie zu besuchen (1 Thess 2,18). Aus 2 Kor 7,5 sowie 9,2.4 geht hervor, dass die Reise durch Makedonien nicht nur ein kurzer Abstecher war, sondern auch mehrwöchige Aufenthalte beinhaltete,[16] da mehr als nur eine briefliche Kommunikation vorausgesetzt wird, denn 2 Kor 8 und 2 Kor 9 stellen wahrscheinlich unterschiedliche Briefe dar.[17] Apg 20,3f berichtet sogar von einer dritten Reise nach Makedonien, die sich allerdings nicht mit den Paulusbriefen harmonisieren lässt, denn in Röm 15,26ff spricht Paulus

---

[14] Z.B. ist in 2 Tim 4,13 die Rede davon, dass Timotheus einen Mantel und Bücher von Paulus mitbringen soll. Wenn dies keine historische Tatsache darstellen sollte, wird man mit G. Theißen, Das Neue Testament, 84, von »einer bewussten Fälschung« sprechen müssen. Hingegen ist eine Angabe wie in 2 Thess 3,2, wonach der fiktive Paulus von falschen und bösen Menschen erlöst werden will, nicht als Fälschung zu beurteilen, sondern entweder als Widerspiegelung eines allgemeinen Paulusbildes späterer Zeit oder als Projektion der Verfassersituation in das Paulusbild.

[15] Vgl. W. Marxsen, 2 Thess, 82; E. Best, Thess, 290.

[16] Z.B. ist J. Becker, Paulus. Der Apostel der Völker, Tübingen ^{2}1992, 272, der Ansicht, dass sich Paulus in Makedonien aufgehalten und Teile des 2 Korinther- sowie des Philipperbriefs geschrieben hat. Für V.P. Furnish, II Corinthians, AnB 32A, New York 1984, 42 sowie 46, hat Paulus sowohl 2 Kor 1–9 als auch 10–13 in Makedonien geschrieben.

[17] 2 Kor 8 und 9 setzen ja einen gewissen Zeitraum voraus.

von der Kollekte von Makedonien und Achaia, die er nach Jerusalem überführen wollte. Wenn er noch ein weiteres Mal nach Makedonien hätte reisen wollen, hätte er nicht die Kollekte von Makedonien bei sich haben müssen.[18] Der lk Bericht über die dritte Reise nach Makedonien geht daher wohl auf den Evangelisten selbst zurück.

In der Formulierung in 2 Thess 2,5 »als ich noch bei euch war« haben wir ein aussagekräftiges Argument dafür, dass die Worte bei diesen Besuchen gesprochen und aufbewahrt worden sein könnten.

Ausgangspunkt für unser Verständnis des Abschnitts 2 Thess 2,1–12 ist die Annahme, dass die Worte im Kontext von v5 auf die paulinischen Besuche zurückgehen könnten. Wie sie zu begründen ist, werden wir durch Analyse des betreffenden Textabschnitts zeigen.

1.2 Der Widersacher Gottes im Tempel (2 Thess 2,4)

Der erste Schritt unserer Erörterung besteht darin, zu entscheiden, was als Inhalt des Wortes »ταῦτα« in v5 gemeint ist. Unsere Aufmerksamkeit fällt dabei zunächst sowohl auf den vorangehenden v4 als auch auf den folgenden v6.[19] Beginnen wir mit v4.

Er ist der, der sich widersetzt und sich erhebt wider alles, was Gott oder Heiligtum heißt, so dass er sich in den Tempel Gottes setzt und vorgibt, dass er Gott ist.

Anders als Bornemann, der das erste Partizip ἀτικείμενος als absolut gebrauchtes Partizip betrachten will,[20] sind die beiden ersten Partizipien zusammenzunehmen, da der bestimmte Artikel ὁ auf beide zu beziehen ist und die Präposition ἐπί mit Dativobjekt mit beiden Partizipien in einen Zusammenhang zu bringen ist, wie es v. Dobschütz vorbildlich gezeigt hat. Hinter der Präposition ἐπί könnte man mit ihm das hebräische על (in der Bedeutung von »wider«) vermuten.[21]

Das griechische Wort λεγόμενον darf m.E. nicht überbetont werden, als ob der Verfasser zwischen dem wirklichen und dem angeblichen Gott zu unterscheiden beabsichtigt hätte.[22] Mit λεγόμενον wollte der Verfasser

---

[18] Vgl. Becker, Paulus, 26.

[19] J.E. Frame, Thess, 258, will »dies« lediglich auf vv3 und 4 beschränkt verstehen (ähnlich Malherbe, Thess, 421), obwohl er selbst in v6 bei den Lesern voraussetzt, bereits über das κατέχον belehrt worden zu sein (262). Wenn allerdings Elemente von v6 zu dem gehören, was die Adressaten von ihrer Erinnerung zu reaktivieren im Stande sind, kann das »dies« nicht auf vv3.4 beschränkt gesehen werden.

[20] Thess, 363. So auch Lutherbibel.

[21] 2 Thess, 274; vor ihm P.W. Schmiedel, Thess, 37.

[22] Vgl. G. Wohlenberg, Thess, 141; v. Dobschütz, Thess, 274; in etwa auch J.E. Frame, Thess, 255.

m.E. alle paganen Götter mit einschließen,[23] wie der Gebrauch des Wortes πάντα indirekt besagt. Die Konsequenzen dessen dürfte er nicht bedacht haben, denn von den Freveltaten bzw. Freveltatversuchen des Sohnes des Verderbens wird der wahre Gott faktisch nicht verschont!

Der Vers schildert Handlungen des Sohns des Verderbens, die durch das Wort ὥστε kausal miteinander verbunden werden: »sich widersetzen« und »sich erheben« einerseits, »sich setzen« und »(Gott zu sein) vorgeben« andererseits. Man hat zu Recht auf alttestamentliche Stellen aufmerksam gemacht, die eventuell die Entstehung unseres Verses beeinflusst haben.[24] Dies sind Dan 11,36f; Ez 28,2 sowie Jes 14,13f. Durch Vergleich unseres Verses mit diesen alttestamentlichen Stellen werden Gemeinsamkeiten sowie Unterschiede deutlich. Zunächst sei Dan 11,36f näher betrachtet:

Und der König wird tun, was er will, und wird sich überheben und großtun gegen alles, was Gott ist. Und gegen den Gott aller Götter wird er Ungeheuerliches reden, und es wird ihm gelingen, bis sich der Zorn ausgewirkt hat; denn es muss geschehen, was beschlossen ist. Auch die Götter seiner Väter wird er nicht achten; er wird weder den Lieblingsgott der Frauen noch einen andern Gott achten; denn er wird sich über alles erheben.

Es ist unverkennbar, dass hier die Handlung eines »Sich erhebens« bzw. »Sich überhebens« wieder begegnet (auch wenn in Dan 11,36f LXX die entsprechenden Wörter von 2 Thess 2,4 nicht belegt sind). Dafür ist die Wendung ἐπὶ πάντα θεόν beiden Texten gemeinsam. Obwohl das Wort »Sich widersetzen« nicht vorkommt, lässt sich der Sachverhalt in den Handlungen des Königs leicht finden: Indem er Ungeheuerliches gegen den Gott aller Götter sagt und die Götter seiner Väter nicht achtet, widersetzt er sich in der Tat den Göttern. Allerdings weist die Danielstelle auch nicht zu übersehende Unterschiede auf: Vom Sich-Setzen im Tempel ist nirgends die Rede, auch nicht von der Prätention, Gott zu sein. Vielmehr findet man in Dan 11,38 einen Hinweis darauf, dass dieser König einen bestimmten Gott verehrt. D.h. die Danielstelle kann lediglich zur Erklärung der ersten Hälfte von 2 Thess 2,4 hilfreich sein.

Eine zweite alttestamentliche Stelle, die zum Verständnis von 2 Thess 2,4 herangezogen werden kann, ist Ez 28,2:

Du Menschenkind, sage dem Fürsten zu Tyrus: So spricht Gott der Herr: Weil sich dein Herz überhebt und spricht: »Ich bin ein Gott, ich sitze auf einem Göttersitz mitten im Meer«, während du doch ein Mensch und nicht Gott bist; dennoch überhebt sich dein Herz, als wäre es eines Gottes Herz.

---

[23] So auch W. Trilling, 2 Thess, 85; Neil, Thess, 164; Dibelius, Thess, 31.

[24] Vgl. z.B. G. Wohlenberg, Thess, 142; v. Dobschütz, Thess, 275; Neil, Thess, 163.

Deutlich erkennbar sind drei Gemeinsamkeiten, nämlich die Handlungen »sich überheben«,[25] »(auf einem Göttersitz) sitzen« und der Anspruch, »Gott zu sein«. Trotz dieser Gemeinsamkeiten werden bei näherem Betrachten auch Unterschiede sichtbar: Es geht hier nicht darum, über andere Götter hinaus Gott zu sein, sondern um den Anspruch, überhaupt ein Gott zu sein. Darum ist das »sich überheben« nicht auf andere Gottheiten bezogen, wie es in 2 Thess 2,4 der Fall ist, sondern es steht ohne Bezugnahme auf andere Götter. Es wird daher in diesem Fall auch nicht explizit davon gesprochen, dass sich dieser Fürst von Tyrus Gott widersetzt. Dass er auf einem Göttersitz sitzt, geschieht nicht im Tempel, sondern mitten im Meer. Trotz äußerer Gemeinsamkeiten steht also die Hesekielstelle 2 Thess 2,4 nicht näher als die Danielstelle.

Als dritter alttestamentlicher Bezugstext ist Jes 14,13f zu betrachten.

> Du aber gedachtest in deinem Herzen: ›Ich will in den Himmel steigen und meinen Thron über die Sterne Gottes erhöhen, ich will mich setzen auf den Berg der Versammlung im fernsten Norden. Ich will auffahren über die hohen Wolken und gleich sein dem Allerhöchsten.‹

Wieder gibt es nur einige sachliche Gemeinsamkeiten, aber keine wörtlichen Übereinstimmungen. Sachlich verwandt ist die Formulierung »(den Thron) über die Sterne Gottes erhöhen«. Ferner entspricht dem Anspruch »dem Allerhöchsten gleich zu sein« die Prätention, Gott zu sein. Diese Selbsterhöhung kann man eventuell als ein »sich Gott widersetzen« verstehen. Ein deutlicher Unterschied aber ist, dass auch hier der Bezug auf den Tempel Gottes fehlt.

Aus diesen Vergleichen ergibt sich, dass 2 Thess 2,4 trotz gewisser Gemeinsamkeiten mit den ihm nahe stehenden alttestamentlichen Texten ein Proprium aufweist, das sich kaum aus jenen drei Stellen herleiten lässt, nämlich den Bezug auf den Tempel Gottes. Das Wort *Tempel* kann an dieser Stelle weder eine metaphorische Bedeutung[26] haben, noch einen himmlischen Tempel[27] bezeichnen. Dagegen sprechen sowohl die Konkretion in der Bezeichnung des Tempels durch doppelte Determination (τὸν ναὸν τοῦ θεοῦ) als auch das vorausgehende Wort »σέβασμα«, das einen konkreten (Anbetungs-)Gegenstand wie etwa ein Heiligtum[28] bezeichnet. Es wird sich mit großer Wahrscheinlichkeit um den Jerusalemer Tempel han-

---

[25] Auch hier findet sich nicht das Wort aus 2 Thess 2,4 ὑπεραίρομαι, sondern ὑψόω.

[26] Vgl. Bruce, Thess, 169. Schon seit Chrysostomos (vgl. Millian, Thess, 99f), der in dem Tempel eine (christliche) Kirche sehen wollte. Ähnlich bei Giblin, The Threat to faith. An exegetical and theological re-examination of 2 Thessalonian 2, Rom 1967, 76–80.

[27] Vgl. J.E. Frame, Thess, 257; Neil, Thess, 164.

[28] Für Malherbe, Thess, 420, ist es z.B. »altars, images and the like«.

deln.[29] Dass der Jerusalemer Tempel zur Zeit der Abfassung des 2 Thess bereits zerstört ist, ändert daran nichts,[30] denn er soll nach Absicht des pseudepigraphen Verfassers zu Lebzeiten des Paulus geschrieben sein und ist auch sachlich noch vor der Zerstörung des Jerusalemer Tempels entstanden, wie unten gezeigt werden wird.

Angesichts dieses eigenartigen Bezugs auf den Jerusalemer Tempel ist die Frage zu stellen, ob v4 im Blick auf ein konkretes historisches Ereignis entstanden ist.[31] Diese Fragestellung wird durch die Beobachtung intensiviert, dass das Infinitivverb »sich setzen« im Aorist formuliert ist, was auf ein punktuelles, also einmaliges Geschehen deutet.[32]

Daher wird v4 mit dem Geschehen, welches *im Anschluss an* Dan 11,36f[33] geschildert wird, in Verbindung gebracht,[34] nämlich dass der Jerusalemer Tempel samt Schatzkammer im Jahre 170 v.Chr. vom syrischen König Antiochus IV Epiphanes geplündert wurde. In der Folge dieser Plünderung wurde im Jahre 167 v.Chr. der Kult des Olympischen Zeus anstelle des Jahwekultes im Jerusalemer Tempel eingeführt und der jüdische Jahweglauben für Jerusalem und Judäa verboten,[35] wobei im Tempel selbst, auf einem neu errichteten Altar, Schweine geschlachtet und geopfert wurden.[36]

---

[29] Vgl. z.B. Best, Thess, 286; W. Trilling, 2 Thess, 86. In der Geschichte bereits seit Irenäus (vgl. Milligan, Thess, 99f).

[30] So auch W. Trilling, Untersuchungen, 126, der allerdings mit einem freien Umgehen seitens der Apokalyptiker argumentiert.

[31] Z.B. gegen Laub, Thess, 50: »nur auf dieses ›Noch–Nicht‹ kommt es dem Verfasser an, d.h. auf einen möglichst weit ins Unbestimmte hinausgeschobenen Termin […]. Zur Erreichung seines Zieles schöpft der Autor, um seine apokalyptischen Adressaten mit ihren eigenen Waffen zu schlagen, offenkundig so sehr aus der Requisitenkammer apokalyptischer Tradition, dass sich jeder Versuch einer historischen oder zeitlichen Konkretisierung einfach verbietet.« Oder gegen Milligan, Thess, 99f, der in v4 eine literarische Abhängigkeit von Dan 11,36f und der Parusierede in Mt 24,15 sowie Mk 13,14 sehen will. Auch gegen Freudendorfer, Thess, 42, der in v4 keinen realen Vorgang sehen will.

[32] Vgl. Morris, Thess, 223.

[33] Vgl. D. Bauer, Das Buch Daniel, Neuer Stuttgarter Kommentar 22, Stuttgart 1996, 44–49. 202–209; E. Haag, Daniel. Die Neue Echter Bibel, Würzburg 1993, 80f sowie Ders., Das hellenistische Zeitalter. Israel und die Bibel im 4. bis 1. Jahrhundert v.Chr., Biblische Enzyklopädie 9, Stuttgart 2003; K. Bringmann, Hellenistische Reform und Religionsverfolgung in Judäa, Göttingen 1983.

[34] A. Malherbe, Thess, 420; Neil, Thess, 164. Anders bei B. Weiß, Briefe, 513, der in v4 keine heidnische Selbstapotheose sondern die Vollendung des Mt 24,24 geweissagten Pseudomessiastums sehen will (seiner Ansicht ist die Beobachtung G. Wohlenbergs, Thess, 141, entgegenzustellen: »[…] schon um des denkbar feindseligsten Verhaltens gegen jede göttliche Autorität willen kann ein fanatischer Jude nicht gemeint sein. Es kann sich nur um einen Menschen handeln, der aus dem Gebiete des Heidentums sich erheben werde […].«).

[35] H. Koester, Einführung in das Neue Testament. Im Rahmen der Religionsgeschichte und Kulturgeschichte der hellenistischen und römischen Zeit, Berlin u.a. 1980, 219.

[36] F. Josephus, Ant, 12.5.4.

Die Verbindung von v4 mit diesem Geschehen weist allerdings ein Problem auf: Warum soll ein Geschehen, das sich etwa 2 Jahrhunderte zuvor ereignet hatte, ausgerechnet jetzt – zum Zeitpunkt der Abfassung von v4 – von Aktualität sein? Wollte der Verfasser mit traditionellem Material über die Geschehnisse um Antiochus nur sagen, dass der Tag des Herrn noch nicht da ist, weil ein geheimnisvoller Faktor dessen Kommen verhindert?

Demgegenüber wurden in der Forschung immer wieder Meinungen vertreten, die hinter v4 die Caligulakrise widergespiegelt sahen.[37] Der exzentrische römische Kaiser Caligula hatte beabsichtigt, sein Standbild im Jerusalemer Tempel aufzustellen. Sein Hang zur Selbstapotheose ist gut bezeugt. Die Annahme der Caligulakrise stößt jedoch, hauptsächlich aufgrund von zwei ernst zu nehmenden Bedenken auf Ablehnung: (1) Genauso wie bei den Ereignissen um Antiochus zwei Jahrhunderte früher stellt sich die Frage, warum die Caligulakrise, die sich zu Beginn des Jahres 40 ereignet hatte, nun (einige Jahrzehnte später) von Interesse sein sollte?[38] (2) Das Standbild des Caligula sollte im Tempel *»aufgestellt«* werden, während in v4 nur vom *»Sitzen«* eines Widersachers im Tempel die Rede ist.[39]

Eventuell ist an dieser Stelle auch eine Beobachtung von E. Best zu berücksichtigen, dass die Figur in 2 Thess 2,3f keinen königlichen Charakter erkennen lasse.[40] Dem ist entgegenzuhalten, dass das Wort »Parusia« in v9 durchaus den königlichen Charakter der Figur anzeigt (über die Herkunft des Wortes Parusia s.u.). Und da auch alle oben zum Vergleich herangezogenen alttestamentlichen Stellen einen »königlichen« Charakter aufweisen (vgl. den König in Dan 11, den Fürsten in Tyrus in Ez 28; den König von

---

[37] Z.B. F. Spitta, 2 Thess, 133–140; nach P.W. Schmiedel, Thess, 43f, halten sowohl I. Döllinger, Christentum und Kirche, Regensburg 1868, 288, als auch A. Klöpper, Theologische Studien und Skizzen aus Ostpreußen II, 73–140, Gaius Caligula für den Hintergrund von v4; P.W. Schmiedel selbst stimmt dieser Meinung zwar nicht zu, räumt aber ein, dass 2 Thess 2, 1–12 der sogenannten Caligula-Apokalypse entlehnt ist (40–43); Morris, Thess, 223; Victorius Scholia in Apocalypsin Migne (nach Dibelius). Grotius (Annotationes Paris 1644) sah nach Milligan, Thess, 171, 2 Thess als im 2. Jahr der Herrschaft des Gaius Caligula geschrieben.
Dagegen ist für v. Dobschütz, Thess, 295, eine Einwirkung der Caligula Episode auf v4 nicht vorstellbar, weil deren Stichwort, das »Kaiserbild«, hier fehle, eine Argumentation, die für mich kaum gegen eine Andeutung im Sinne des Caligula spricht.

[38] Die Vernachlässigung dieser Frage ist m.E. der Grund, warum viele Thesen, die von Caligula ausgehen, bisher in der Forschung keine große Beachtung gefunden haben.

[39] So z.B. Best, Thess, 286: »Its defilement was an apocalyptic theme, though the defiler is regarded as standing or set up rather than as sitting and may indeed not be a person but an object, e.g. the statue of himself which Caligula attempted to introduce.«

[40] Thess, 288. Er hält es für plausibel, dass die Figur einen Supramenschen darstellt, der keinen historischen Anhaltpunkt hat. Dagegen spricht aber die Konkretheit in v3: der Mensch der Gesetzlosigkeit, der Sohn des Verderbens (vgl. W. Marxsen, 2 Thess, 82, dagegen E. Reinmuth, Thess, 178, für den der Begriff »Mensch der Gesetzlosigkeit« »als personifizierte Spitze jedweder ethischer Verfehlung« zu verstehen ist).

Babel in Jes 14), liegt es vielmehr nahe, auch in 2 Thess 2,3f an eine königliche Gestalt zu denken.

Die erste Frage (1) werden wir später beantworten, da zunächst geklärt werden muss, ob es sich hier tatsächlich um die Caligulakrise handeln könnte. Über diese Krise berichten sowohl Philo als auch Josephus. Interessant ist, dass wir bei beiden Berichten einen Ausdruck finden, der die Grenze der Bedeutung von »Aufstellen« und »Sitzen« in gewissem Sinne durchbricht. In seiner legGai 203 schreibt Philo,[41]

> Kaum hat Gaius das Schreiben gelesen, befiehlt er, statt des Ziegelaltars, in Jamnia als Kränkung errichtet, einen Gegenstand auffälliger Überheblichkeit, ein vergoldetes Riesenstandbild im Tempel der jüdischen Hauptstadt zu *errichten*.

Das im Text kursiv gesetzte Verb heißt im Griechischen καθιδρυθῆναι. Das Wort καθιδρύω bedeutet eigentlich »niedersetzen«, »sich setzen lassen«.[42] Im übertragenen Sinn heißt es »aufstellen«, »errichten«. Unverkennbar darin ist der Wortstamm »καθίζω«. Weil dieses Wort in legGai bei Philo in Bezug auf die Caligulakrise nur einmal auftaucht,[43] wird man vielleicht sagen, dass es nur beschränkt aussagekräftig sei. Dieser Einwand verliert jedoch seine Kraft, wenn wir Josephus lesen. In seinem Bell. 2,184ff schreibt er, »Er sandte Petronius mit einem Heer nach Jerusalem und gab den Befehl, im Tempel Standbilder von ihm *aufzustellen* [...]«.

Was hier kursiv gesetzt ist, lautet im Griechischen ἐγκαθιδρύσοντα, ein Kompositum desselben Wortes καθιδρύω, das Philo benutzt hat. Das Wort bedeutet »aufstellen« oder »in etwas seinen Sitz nehmen«/»auf etwas thronen«.[44] Wie Philo benutzt Josephus nur hier dieses Wort, ansonsten immer ἀνάθεσις[45] oder ἵσταν.[46] Das ist ein Indiz dafür, dass 2 Thess 2,4, wo das Wort καθίζω gebraucht wird,[47] ebenfalls auf die Caligulakrise anspielen könnte.

Ob wir mit dieser Annahme richtig liegen, bedarf jedoch freilich einer Untermauerung durch weitere Indizien. Diese ergeben sich aus Vergleichen von 2 Thess 2,4 mit weiteren Quellen.[48]

---

[41] Alle unten zitierten Übersetzungen stammen von F.W. Kohnke, Philo von Alexandria. Die Werke in deutscher Übersetzung Bd. VII (Hg. L. Cohn, I. Heinemann, M. Adler und W. Theiler), Berlin u.a. 1964.

[42] Langenscheidt Großwörterbuch Griechisch Deutsch, [23]1979.

[43] Ansonsten wird das Wort ἀνατίθημι gebraucht (z.B. legGai 335).

[44] Langenscheidt Großwörterbuch.

[45] Z.B. Ant. 269. 272. 274 usw.

[46] Z.B. Ant. 261.

[47] Das Wort καθίζω kommt bei Paulus bereits (1 Kor 6,4; 10,7) vor.

[48] Um ein mögliches Missverständnis zu vermeiden, ist an dieser Stelle klar zu stellen, dass es hier nicht um eine literarische Abhängigkeit geht, sondern um die Frage, ob hinter vergleichbaren Quellen dasselbe Ereignis/Geschehen steht.

Betrachten wir zunächst die Beschreibung »der, der sich erhebt über alles, was Gott oder Gottesdienst heißt«. Wie das Wort »alles« signalisiert, ist nicht zu übersehen, dass der Sohn des Verderbens versucht, sich über alle Götter und alle kultischen Handlungen zu erheben. Genau dasselbe ist in einer Beschreibung des Philo von Alexandria über Gaius zu beobachten. In seinem legGai 93 heißt es:

Gaius' Wahnsinn, seine verrückte und abartige Sucht, nahmen ein solches Ausmaß an, dass er begann, sich über die Halbgötter zu erheben, noch höher zu steigen und sich an Kulte von Gottheiten heranzumachen, die man für größer und von rein göttlicher Herkunft hält, des Hermes, des Apoll und des Ares (93).

Dass es bei Philo um die Halbgötter geht, ändert nichts an der Sache, denn nach Philos Beschreibung strebte Gaius bald über die Halbgötter hinaus und wollte auch den Göttern gleichgestellt werden: »Gaius aber blähte sich selbst auf, denn er sagte es nicht nur, sondern glaubt sogar, ein Gott zu sein« (162).

Wie Gaius sich über alle Götter und Kulte erhob, zeigt sich auch in den folgenden Stellen bei Philo:[49]

Zuerst begann er sich mit den sogenannten Halbgöttern zu vergleichen, dem Dionysos, dem Herakles und den Dioskuren, und *machte sich über den Trophonios, Amphiaraos, Amphilochos und ähnliche Gestalten mitsamt ihren Orakeln und Kulten lustig*, wenn er sie mit seiner eigenen Kraft verglich. (78)

Damit wollte er den Unterschied von den Halbgöttern ausdrücken, der darin lag: Jeder von ihnen hatte seine eigenen Ehrungen und keinen Anspruch auf die der übrigen. Er selbst aber wollte sich die Ehrungen aller zusammen, ja mehr noch, deren Träger selbst mit eigensüchtiger Gier aneignen. (80)

Ähnliches kann man auch bei Sueton[50] lesen:

Sogar einen eigenen Tempel stiftete er seiner Gottheit nebst Priestern und spitzfindig ausgeklügelten Opferungen. In dem Tempel stand sein goldenes Porträtstandbild in Lebensgröße, das täglich mit einem gleichen Anzug bekleidet wurde, wie er selbst ihn trug. [...]. In den Nächten, wo Luna in vollem Licht glänzte, lud er sie regelmäßig zu Umarmung und Beilager ein; bei Tag dagegen hielt er heimliche Unterredungen mit dem Kapitolinischen Jupiter, bald ihm ins Ohr flüsternd, bald wieder ihm sein Ohr hinhaltend, zuweilen sprach er laut und zankte sogar. Denn einmal hörte man ihn drohend auf Griechisch die Worte ausstoßen: »Hebe du mich oder ich dich!« Bis er endlich von dem Gott, wie er zu erzählen pflegte, sich erbitten ließ und demselben den Wunsch, mit ihm zusammenzuwohnen, dadurch gewährte, dass er Palatium und Kapitol durch einen über den Tempel des göttlichen Augustus geschlagene Brücke

---

[49] Die Hervorhebungen sind von mir.

[50] Alle unten zitierten Übersetzungen stammen von A. Stahr (von W. Krenkel bearbeitet), Suetons Werke in einem Band: Kaiserbiographien über berühmte Männer, Berlin u.a. ^{2}1985.

verband. Bald darauf ließ er, um dem Gott noch näher zu sein, auf der Höhe des Kapitols den Grund zu einem neuen Palast legen (Caligula, 22,3–4).

Zu beachten ist hierbei, dass beide Quellen literarisch nicht voneinander abhängig sind, dass sie aber unabhängig voneinander einen ähnlichen Sachverhalt beschreiben!

Diese Ähnlichkeit ist nicht nur in der Beschreibung von 2,4a, sondern auch in 2,4b, »so dass er sich in den Tempel Gottes setzt und vorgibt, er sei Gott«, zu beobachten. Denn Caligula hatte nicht nur in Jerusalem sein eigenes Standbild aufzurichten versucht, sondern auch in Rom, und zwar mit Erfolg, wie die oben genannte Suetonstelle zeigt. So wurde im Tempel auf dem Palatin sein goldenes Standbild aufgestellt, das täglich mit demselben Gewand wie Caligula bekleidet wurde.[51]

Es dürfte also weder Juden noch Heiden und ebenso wenig den Christen in Thessaloniki schwer gefallen sein, hinter dem Teilsatz »so dass er sich in den Tempel Gottes setzt und vorgibt, er sei Gott« Erfahrungen mit Caligula wiederzuerkennen.

Ist damit zwar die Annahme, dass sich hinter v4 Erfahrungen mit Caligula verbergen könnten,[52] plausibel, so ist noch die weitere Frage zu beantworten: Warum sollten die Ereignisse um Caligula, die sich in den späten 30er Jahren ereignet hatten, für Paulus aktuell gewesen sein, dessen erster Besuch in Thessaloniki frühestens zehn Jahre später und dessen zweiter Besuch noch einmal mindestens sechs Jahre danach erfolgte? Was veranlasste Paulus, zu dem Vorgang mit Caligula Stellung zu nehmen?

Die Chronologie der Paulusreisen ist noch immer umstritten. Der erste Besuch des Paulus in Thessaloniki wird aber nach der überwiegenden Mehrheit der Exegeten in die Zeit um 49–50 n.Chr. datiert, kurz vor seiner Ankunft in Korinth, die wir aufgrund der sog. Gallio-Inschrift chronologisch einordnen können. In der Forschung finden sich jedoch auch eine extreme Frühdatierung schon ab 36 (39) n.Chr. bei G. Lüdemann.[53]

---

[51] Die Ansicht, dass die Aufstellung des Standbildes etwas anderes sei als *sich selbst in den Tempel Gottes zu setzen*, lässt sich m.E. mit der Tatsache entkräften, dass das Standbild an der Stelle des Kaisers selbst steht. Das zeigt die Tatsache, dass das Standbild mit denselben Kleidern bekleidet war wie der Kaiser. Weitere Argumente dafür finden sich bei Sueton, Caligula 22, wo berichtet wird, Caligula habe die Köpfe der Götterbilder, z.B. den des Jupiters, abnehmen und den seinen darauf setzen lassen, um sich anbeten zu lassen, oder Caligula stelle sich zuweilen in die Mitte zwischen die Brudergottheiten, wo er sich von andächtig Nahenden anbeten lasse.

[52] Dagegen sagt R. Riesner, Frühzeit des Apostels Paulus. Studien zur Chronologie, Missionsstrategie und Theologie, WUNT 56, Tübingen 1994, 277f: »Selbst jener Vorgang, der das ganze jüdische Palästina und Syrien zutiefst erschütterte und bis an dem Rand des Krieges brachte, der Versuch Caligulas, sein Standbild im Tempel in Jerusalem aufzustellen, fand keinen direkten Niederschlag in den frühchristlichen Texten.«

[53] Paulus, der Heidenapostel, Bd I, Studien zur Chronologie, FRLANT 123, Göttingen 1980; Ders., Paulus, der Gründer.

Für Lüdemann ist das Edikt des Kaisers Claudius, das aus dem für unser Paulusverständnis einzigen absoluten Zeitpunkt der sog. Gallio-Inschrift erschlossen wird, aufgrund Dio LX 6,6[54] am Anfang seiner Regierungszeit, also 41 n.Chr. anzusetzen, statt auf das Jahr 49 n.Chr. Wie P. Lampe zutreffend herausgestellt hat, ist das Edikt nach Dio ziemlich sicher ein anderes als das des Jahres 49.[55] Nach Dio vertrieb Claudius die Juden nicht, sondern verhängte lediglich ein Versammlungsverbot, während nach Sueton von Claudius eine Vertreibung der Juden aus Rom verhängt wurde.[56] Die Frühdatierung des ersten Besuchs von Korinth wird daher von den meisten Exegeten abgelehnt. Für den zweiten Besuch wird meist die Zeit ab 55 n.Chr. angenommen.[57]

Um die Frage zu beantworten, warum Paulus einem inzwischen zurückliegendem Ereignis solch eine große Aktualität beimisst, müssen wir einen Blick auf die damalige zeitgeschichtliche Situation werfen. Es war die Zeit des Kaisers Claudius, als Paulus zum ersten Mal Thessaloniki besuchte. Sein Vorgänger Gaius Caligula war aufgrund seiner Verrücktheit nicht länger ertragen worden und war einer Verschwörung zum Opfer gefallen.[58] Eben deswegen sah sich der Kaiser Claudius aufgefordert, sich möglichst von der Politik seines Vorgängers zu distanzieren. Zugleich dürfte er wohl versucht haben, die Würde der kaiserlichen Familie nicht allzu sehr aufs

[54] »As for the Jews, who had again increased so greatly that by reason of their multitude it would have been hard without raising a tumult to bar them from the city, he did not drive them out, but ordered them, while continuing their traditional mode of life, not to hold meetings.« (Übersetzung von E. Cary, Dio's Roman History, LOEB Vol. VII, Cambrige Massachusetts u.a. 1968, 383).

[55] Die stadtrömischen Christen in den ersten beiden Jahrhunderten. Untersuchungen zur Sozialgeschichte, WUNT 2/18, Tübingen 1989, 4–8, dort 7f.

[56] Gegen Lüdemann siehe auch A. Scriba, Von Korinth nach Rom. Die Chronologie der letzten Jahre des Paulus, in: F.W. Horn, Das Ende des Paulus. Historische, theologische, und literaturgeschichtliche Aspekte, BZNW106, Berlin u.a. 2001, 157–173, dort 162 und Anm. 8.

[57] J. Becker, Paulus, 32; U. Schnelle, Paulus. Leben und Denken, Berlin 2003, 40; M. Hengel/A.M. Schwemer, Paulus between Damascus and Antioch, Louisville 1997, xii; R. Riesner, Frühzeit, 286; H.-M. Schenke/K.M. Fischer, Einleitung in die Schriften des Neuen Testaments, I. Die Briefe des Paulus und Schriften des Paulinismus, Gütersloh 1978, 47–63, besonders 61 nennen sie die Exegeten mit ihren jeweiligen angenommenen Zeitangaben über die Aufenthalte des Paulus, die bis auf zwei (Haenchen, Braun) frühestens 55 enden. Auch bei R. Jewett, Dating Paul's Life, London 1979, 49–50 und bei N. Hyldahl, The History of Early Christianity, Frankfurt 1997, 134–152.
Dagegen fällt bei G. Lüdemann, Heidenapostel, 272–273, die Reise nach Makedonien auf das Jahr 50/51 (53/54), neulich (Gründer, 69; Das Urchristentum, in: ThR 65 (2000), 121–179, 285–349) aber auf das Jahr 52; bei Hyldahl auf die Jahre 53–54. Über die Chronologie des Paulus siehe auch J.M. O'Conner, A Critical Life of Paul, Oxford/New York 1996; J. Gnilka, Paulus von Tarsus. Apostel und Zeuge, Freiburg 1996, 309–313, auf das Jahr 50/51 (313); W. Fenschke, Paulus lesen und verstehen. Ein Leitfaden zur Biographie und Theologie des Apostels, Stuttgart 2003, 30–36, auf das Jahr 51 n.Chr.

[58] Vgl. Dio, LIX 29,1.

Spiel zu setzen, denn Gaius Caligula war sein Neffe und die Legitimationsbasis seiner Macht[59] lag in seiner Zugehörigkeit zur julischen Kaiserfamilie. Wäre er mit einer Distanzierung von Gaius Caligula zu weit gegangen, hätte dies seine Machtbasis, die besonders in seinen Anfangszeiten alles andere als stabil war,[60] gefährden können. Aus diesem Grund bemühte sich Claudius, sich von der Politik Caligulas zu distanzieren, wo immer dies notwendig war, aber zugleich war er stets darum bemüht, seine Machtbasis nicht zu gefährden.

So befahl er z.B. in eigener Verantwortung, sämtliche Statuen des Caligulas unverzüglich bei Nacht zu beseitigen (Dio, LX 4,6), als ihm bekannt wurde, dass der Senat für den verstorbenen Caligula die *damnatio memoriae* beschließen wollte.[61] Dadurch verhinderte er einerseits, dass der Name Caligulas durch ein offizielles Dekret entehrt wurde, andererseits erweckte er in der Öffentlichkeit den Eindruck, sich von Caligula distanziert zu haben.[62]

Er ließ die von Caligula ungerechtfertigterweise Verbannten zurückkehren und erstattete ihnen ihr beschlagnahmtes Vermögen zurück.[63] Außerdem hob er die Opfer für den Kaiser und die Proskynese, die von Caligula in Rom neu eingeführt worden waren, auf und ließ die aufgrund von *maiestas* und ähnlicher Anklagen Inhaftierten frei.[64] Offiziell lehnte er es ab, seine Person durch den Bau von Tempelanlagen sowie durch die Ernennung einer für ihn bestimmten Priesterschaft verehren zu lassen, wie es aus einem Brief an Alexandrien hervorgeht:

> Aber ich billige nicht die Ernennung eines Oberpriesters für mich und den Bau von Tempeln, denn ich wünsche nicht bei meinen Zeitgenossen Anstoß zu erregen, und meine Ansicht ist, dass Heiligtümer und ähnliches allein ein Vorrecht der Götter sind, das ihnen zu allen Zeiten gebührt.[65]

---

[59] Vgl. Dio, LX 1,3: »[...] Afterwards they together with their comrades entrusted to him the supreme power, inasmuch as he was of the imperial family and was regarded as suitable.« (Cary, Roman History, 367).

[60] Sein Principat war lediglich eine Notlösung, der Senat beriet die ganze Nacht um nach dem Tod des Caligula eine Lösung zu finden, bis Claudius von den Prätorianern zum princeps ausgerufen wurde (Vgl. Dio, LX 1). Die unsichere Machtbasis des Claudius zeigte sich indirekt auch darin, dass er jeden seiner Besucher prüfen ließ, um nicht einer Verschwörung zum Opfer zu fallen (Vgl. Dio, LX 3,2f).

[61] Vgl. D. Alvarez Cineira, Religionspolitik des Kaisers Claudius und paulinische Mission, Freiburg 1999, 65.

[62] Vor diesem Hintergrund ist auch zu verstehen, dass er Chaerea und seine Komplizen töten ließ, mit der Begründung, dass sie sich gegen ihn selbst verschworen hätten, um den Eindruck zu vermeiden, er übe wegen des Mordes an Caligula Rache an ihnen (Dio, LX 3,4).

[63] Vgl. Dio, LX 4,2.

[64] Alvarez, Religionspolitik, 65.

[65] C.K. Barrett/C.-J. Thornton, Texte zur Umwelt des Neuen Testaments, UTB, Tübingen [2]1991, 56.

Interessant ist vor allem seine Begründung der Ablehnung: »denn ich wünsche nicht bei meinen Zeitgenossen Anstoß zu erregen.« Mit anderen Worten heißt das: »Wenn die Zeitgenossen [gemeint sind wohl die Menschen in Rom s.c.][66] an dem Bau eines Tempels für den Kaiser Claudius und die Ernennung einer Priesterschaft *keinen Anstoß* nehmen würden, was unwahrscheinlich ist, würde er den Vorschlag der Alexandriner akzeptieren.« Dafür spricht vor allem der Zeitpunkt der Abfassung des Briefes, nämlich November 41 n.Chr. Claudius war erst im Januar dieses Jahres von den Prätorianern zum princeps ausgerufen worden, wobei der Senat diesen Vorgang lediglich akzeptieren konnte und musste. D.h. zu diesem Zeitpunkt ist ein freundliches Verhältnis zwischen ihm und dem Senat nicht leicht vorstellbar, was den Kaiser gewiss veranlasst hat, Aufsehen im Senat zu vermeiden.[67] Darum unterstrich er seine Haltung noch einmal mit den Worten, »dass Heiligtümer und ähnliches allein ein Vorrecht der Götter sind, das ihnen zu allen Zeiten gebührt«.

In einem anderen Brief nach Thasos, der 42 n.Chr. verfasst wurde,[68] zeigt Claudius ähnliche Zurückhaltung.[69] Auffällig ist aber, dass die Stadt seine Ablehnung nicht ernst genommen zu haben scheint und ein für die Kaiserverehrung zuständiger Priester ernannt wurde.[70] Die Stadt hat wohl hinter der Zurückhaltung des Kaisers in Bezug auf seine Verehrung eine »stillschweigende Zustimmung« gesehen und das nicht zu Unrecht, denn die Verehrung des Kaisers wurde als Zeichen der Loyalität von Claudius akzeptiert, und dementsprechend resultierten daraus Vorteile für die Stadt.[71] Für das Ignorieren der kaiserlichen Zurückhaltung durch diese Stadt ist Claudius wohl selbst ein wenig mitverantwortlich. Auch in seinem Schreiben an die Alexandriner akzeptierte er die Ehrung seiner Person und seines Hauses, insofern er gestattete, seinen Geburtstag als *dies Augustus* zu feiern und Statuen von seiner Person und seiner Familie an verschiedenen Plätzen zu errichten. Dass diese Art der Billigung von Ehrungen zu einer nächsten Stufe, nämlich zur Ernennung einer Priesterschaft führen könnte, ist leicht vorstellbar.

---

[66] Selbst wenn hier nicht die Menschen von Rom sondern die von Alexandrien (so Alvarez, Religionspolitik, 66, knappe Diskussion darüber siehe dort, besonders Anm. 239) gemeint sein sollten, ändert dies nichts an der Sache, dass Claudius den alexandrinischen Vorschlag hätte annehmen können, wenn die Menschen keinen Anstoß daran genommen hätten.

[67] Sein Verhältnis zum Senat war trotz seiner Anstrengungen durch seine gesamte Regierungszeit hindurch alles andere als kooperativ. Vgl. K. Christ, Die römische Kaiserzeit. Von Augustus bis Diokletian, München ^{2}2004, 225.

[68] C. Dunant/J. Pouilloux, Recherches Bd. 2,66–69 nr. 179 (nach Alvarez, Religionspolitik, 69 Anm. 250).

[69] Vgl. Alvarez, Religionspolitik, 69.

[70] Ebd.

[71] Ebd.

In diesem Zusammenhang ist ein Titel des Kaisers im Kopf seines Briefes an Alexandrien zu erwähnen, mit dem der römische Beamte Lucius Aemilius Rectus den Brief des Claudius verbreitete:

Verkündigung durch Lucius Aemilius Rectus. Da wegen ihrer großen Zahl nicht die ganze Bevölkerung in der Lage war, beim Verlesen des allerheiligsten und wohltätigen Briefes an die Stadt anwesend zu sein, hielt ich es für notwendig, den Brief zu veröffentlichen, damit ihr, wenn ihr ihn Mann für Mann lest, *die Majestät unseres Gottes Cäsar* bewundert und Dankbarkeit empfindet für sein Wohlwollen gegenüber der Stadt.[72]

Selbst wenn der Kaiser in Rom so nicht benannt und außerhalb Roms auch nicht so angeredet wurde, ist angesichts literarischer Belege (Scribonius Largus, Compositiones) doch gut vorstellbar, dass dem Kaiser solche Ehrungen eingeräumt wurden.[73]

Ferner hat es schon zu Lebzeiten des Kaisers Claudius einen Tempel für ihn gegeben. Es handelt sich um den Tempel in Camulodonum in Britannien. Trotz der verbreiteten Meinung, dass dieser Tempel nicht zu Lebzeiten des Kaisers gebaut worden sei, ist die gegenteilige Sicht von D. Alvarez, die sich auf Senecas Bemerkung, es existiere bereits ein Tempel für Claudius in Britannien, stützt, ernst zu nehmen.[74]

An dieser Stelle ist außerdem die in aller Öffentlichkeit vorgetragene Kritik des Nero an Claudius zu nennen. Sueton schrieb:

Gewiß ist, daß er [Nero s.c.] den Verstorbenen in Worten und Werken auf alle und jede Weise beschimpfte, indem er ihn bald der Narrheit, bald der Grausamkeit beschuldigte. Einer seiner Lieblingswitze in dieser Beziehung war, daß er von ihm sagte, *er habe aufgehört, unter Menschen zu weilen*, wobei er die erste Silbe des letzten Wortes (*morari*) lang aussprach [...]. (Nero, 33)[75]

Der von mir hervorgehobene Satzteil besagt, dass Claudius aufgehört hat, als »Gottheit« unter Menschen zu weilen. Hier gibt Nero vielleicht indirekt die Neigung des Claudius zur Selbstapotheose preis.

Er könnte aber auch auf die postmortale Apotheose des Claudius anspielen, die nicht unumstritten war, wie eine Satire des Seneca zeigt. Nach dem Tode des Claudius wurde dessen Konsekrierung von Seneca verhöhnt,[76] was darauf indirekt hinweisen könnte, dass Claudius zu seinen Lebzeiten einer Neigung zur Selbstapotheose nachkam.

---

[72] Barrett/Thornton, Texte, 52.

[73] Alvarez, Religionspolitik, 69f.

[74] Für die Diskussion darüber siehe Alvarez, Religionspolitik, 70–75.

[75] Übersetzung von A. Stahr/W. Krenkel, Sueton, 287.

[76] A. Bauer, Apocolocyntosis. Die Verkürbissung des Kaisers Claudius, Reclam 7676, Stuttgart 1981); L. Annaeus Seneca. Apokolokyntosis, Lateinisch-deutsch (Hg. von G. Binder), Darmstadt 1999, 15.

Zusammenfassend lässt sich mit Alvarez feststellen,

dass Claudius, obwohl er den Kult für seine Person nicht offen akzeptierte, einem solchen Gedanken nicht völlig abgeneigt war, es sei denn, die politischen Umstände erlaubten es nicht. [...] und dass Claudius, wie vor ihm bereits Augustus, die kultische Verehrung seiner Person im Reich schon zu seinen Lebzeiten bewusst gefördert und behutsam gelenkt hat.[77]

Im Hinblick auf unsere ursprüngliche Frage ist aus all dem zu schließen, dass eine Stadt wie Thessaloniki als Hauptstadt in Makedonien eine Initiative zur Verehrung des Claudius ergriffen haben könnte, um dadurch ihre Privilegien – Thessaloniki hatte den Status einer abgabenfreien *civitas libera* inne – weiter genießen zu können. Änderungen des Status sind in der Umgebung zu beobachten: Macedonia und Achaia, die Tiberius auf ihre Bitte um Ermäßigung der Abgaben hin seiner eigenen Verwaltung unterstellt hatte, wurden unter Claudius wieder zu senatorischen Provinzen,[78] d.h. die Abgaben der beiden Provinzen wurden erhöht. Diplomatisches Handeln von Seiten der Stadt Thessaloniki war also angebracht. Es ist daher leicht vorstellbar, dass der Kaiserkult, der unter Gaius Caligula intensiviert worden war, von der Stadt nicht eingestellt, sondern in ähnlichem oder leicht abgeschwächtem Ausmaß auch unter Claudius weiterhin gepflegt wurde.

Die Juden sowohl innerhalb als auch außerhalb Roms, darunter auch Paulus, dürften dies wohl als mögliche Gefahr empfunden haben, denn die Religionspolitik des Gaius Caligula schien von Claudius fortgesetzt zu werden, wenn auch nicht in demselben Ausmaß. D.h. Caligula mit seiner das jüdische Leben gefährdenden Selbstapotheose lebte im Erleben der Juden in Claudius weiter.[79] Dies belegt eine Quelle mit aller Deutlichkeit. Tacitus schrieb nämlich in Bezug auf die Juden zur Zeit des Claudius:

[...] Es war nämlich ein Aufstand ausgebrochen, nachdem (sie von C. Caesar den Befehl erhalten hatten, sein Bild in ihrem Tempel aufzustellen; und obwohl) man auf die Kunde von dessen Ermordung dem nicht Folge geleistet hatte, *blieb die Besorgnis, ein anderer Kaiser könne dieselbe Weisung erteilen* [...]. (Ann. 12,54)

Der von mir hervorgehobene Satzteil macht deutlich, dass die Regierungszeit des Claudius von dieser Besorgnis ständig begleitet wurde.[80] Es blieb für die Juden nur abzuwarten, wann die gefährliche Gestalt eines sich selbst

[77] Alvarez, Religionspolitik, 75.

[78] Vgl. W. Elliger, Griechenland, 87 (vgl. Tacitus, Ann. 1,76).

[79] Ein anderes Bild von Claudius hat allerdings Spitta, 2 Thess, 142. Für ihn stellt die Zeit des Claudius für Juden und Christen eine gute Zeit dar, deren Ende allerdings Gefahr bedeutete.

[80] Ähnlich Bruce, Thess, 180: »In any event, Gaius' statue was not set up in the temple [...]. But the dismay and anxiety of those days remained for long in the memories of those most closely affected, and suggested to them what was likely to happen [...].«

vergöttlichenden Kaisers in Claudius sichtbar wurde.[81] Von daher ist es nur wahrscheinlich und verständlich, dass Paulus auch in der Regierungszeit des Claudius noch von Caligula bzw. der Erfahrung mit ihm spricht. Überhaupt befand man sich gerade in einer Zeit der Eskalation, denn im Jahr 49 n.Chr. wurde bekanntlich von Claudius ein Edikt erlassen, wonach führende Judenchristen die Stadt Rom verlassen mussten. Die potentielle Gefahr, die man mit Claudius verbunden hatte, schien nun Wirklichkeit zu werden.[82]

In 1 Thess und Apg 17 sind zwei weitere Indizien zu finden. Beim Sprechen von dem nahen Tag des Herrn erwähnt Paulus in 1 Thess 5,3 den Ausdruck εἰρήνη καὶ ἀσφάλεια (Frieden und Sicherheit). Wie allgemein zu Recht bemerkt wird, benutzt Paulus hier Wörter, die er in diesem Sinn sonst überhaupt nicht verwendet.[83] Dahinter wurden daher traditionelle Topoi etwa aus Ez 13,10 oder Jer 6,14 vermutet und entsprechende Aktivitäten von falschen Propheten angenommen.[84] Allerdings taucht an den beiden alttestamentlichen Stellen das zweite Wort ἀσφάλεια gar nicht auf, sondern nur das Schlagwort vom »Frieden«, so dass kaum von einer Reminiszenz an diese beiden alttestamentlichen Stellen die Rede sein kann.

Beachtung findet dagegen die Ansicht, hinter dem Ausdruck εἰρήνη καὶ ἀσφάλεια eine römische politische Parole zu sehen, die auf die augusteische Zeit zurückgeht und mit dem lateinischen *pax et securitas* zu übersetzen ist.[85] Denn in der Tat finden sich im politischen Bereich des römischen Reiches dafür viele Belege.[86] Z.B. lautet eine syrische Inschrift: »Der Herr Marcus Flavius Bonus [...] hat über uns in Frieden geherrscht und den Durchreisenden und dem Volk ständig *Frieden und Sicherheit* bewahrt.«[87] War εἰρήνη καὶ ἀσφάλεια tatsächlich eine römische Propagandaformel, dann rechnete Paulus im 1 Thess offenbar inmitten einer als »friedlich« und

---

[81] Die negative Einstellung von Juden dem Kaiser Claudius gegenüber dürfte wohl darauf zurückgehen, dass er zu Beginn seiner Regierungszeit – wenn Dio's Bericht über das ›andere‹ Edikt richtig ist – aus Furcht vor einer starken Zunahme der Juden in Rom eben diesen ein Versammlungsverbot auferlegt hat.

[82] Vgl. R. Riesner, Frühzeit, 316.

[83] Vgl. A. Malherbe, Thess, 291. ›Frieden‹ wird im Röm als religiöses Wort benutzt, während ›Sicherheit‹ bei ihm sonst nirgendwo belegt ist.

[84] Z.B. bei Bornemann, Thess, 218; Milligan, Thess, 65; J.E. Frame, Thess, 181; Bruce, Thess, 110.

[85] Vgl. Ch. v. Brocke, Thessaloniki, 167–185; K. Wengst, Pax Romana. Anspruch und Wirklichkeit, Erfahrung und Wahrnehmung des Friedens bei Jesus und im Urchristentum, München 1986, 32–34; H. Koester, Imperial Ideology and Pauls's Eschatology in I Thessalonians, in: R.A. Horsley (Hg.), Paul and Empire, Harrisburg 1997, 161; E. Bammel, Ein Beitrag zur paulinischen Staatsanschauung, TLZ 85 (1960), 837–840. Nach v. Brocke war die Parole im makedonischen, besonders thessalonischen Kontext in vielen Bereichen nicht mehr nur eine Parole, sondern angesichts der Geschichte der Provinz, die einst als östliche Grenze des römischen Reiches fungiert hatte, tatsächlich Wirklichkeit, die die Bewohner der Stadt im Alltag erlebten.

[86] Vgl. Wengst, ebd.

[87] OGIS 613 (nach K. Wengst, Pax, 32 Anm. 89). Die Hervorhebung ist von mir.

»sicher« gepriesenen Zeit – es war die Zeit des Kaisers Claudius, mit der doch die Caligulakrise überwunden war – mit einer sich jederzeit offenbarenden Gefahr.[88]

Diese Gefahr stellt nach Paulus für die Christen einen Kampf dar, wie die Ausdrücke in v8 andeuten: »[...] angetan mit *dem Panzer* des Glaubens und der Liebe und mit *dem Helm* der Hoffnung auf das Heil.« Da es sich hier um Waffen zur reinen Verteidigung handelt – es fehlen ja Angriffswaffen wie z.B. das Schwert –, spricht Paulus metaphorisch von einer Angriffsgefahr von außen. Dass diese Gefahr eine politische Dimension hatte, versteht sich angesichts der römischen Parole von selbst. Zur Abfassungszeit des 1 Thess hat Paulus also wohl an die mit Claudius verbundene latente Gefahr gedacht. Allerdings konnte er davon nicht offen sprechen, denn sonst hätte er mit Ahndung und Verfolgung zu rechnen gehabt.

Auch die Vorstellung des Paulus vom Tag des Herrn[89] deutet in diese Richtung. In 1 Thess 4,13–17 beschreibt er diesen Tag (der Begriff selbst wurde nicht dort, sondern erst in 5,2 gebraucht) mit Hilfe von politischen Ausdrücken: παρουσία sowie ἀπάντησις. Παρουσία ist kein alttestamentlich-jüdischer Begriff,[90] sondern ein profaner, hellenistischer Begriff aus dem politischen Bereich.[91] Selbst in LXX kommt das Wort Parusia »nur in originalgriechischen Schriften vor (Jdt 10,18; 2 Makk 8,12; 15,21; 3 Makk 3,17), und zwar stets im profanen Sinn«.[92] In vorchristlicher apokalyptischer Literatur fehlt das Wort Parusia überhaupt.[93]

Das Wort bedeutet eigentlich Ankunft eines Herrschers zu einem Machterweis oder als Besuch. Der älteste Beleg geht auf die Begrüßung der Athener im Jahr 307 v.Chr. zurück, die den Einzug des Demetrios Poliorketes in die Stadt als Parusie eines sichtbaren Gottes im Vergleich zu den nicht zu

---

[88] Nach H.L. Hendrix, Archaeology and Eschatology, in: The Future of Early Christianity, FS. H. Koester, Minneapolis 1991, 107–118, wurde der ›römische Frieden‹ in der augustinischen und claudischen Propaganda stark betont und das Schlagwort ›Sicherheit‹ besonders in den Zeiten von Augustus, Claudius und Vespasian hervorgehoben.

[89] Eine knappe Darstellung über den Tag des Herrn bei Paulus bietet u.a. J. Baumgarten, Paulus und die Apokalyptik. Die Auslegung apokalyptischer Überlegungen in den echten Paulusbriefen, WMANT 44, Düsseldorf 1975, 64f.

[90] Gegen z.B. W. Radl, Ankunft des Herrn, Zur Bedeutung und Funktion der Parusieaussagen bei Paulus, BET 15, Frankfurt 1981.

[91] Vgl. H. Koester, Imperial Ideology, 158: »But Paul, in his own language, describes the coming of the Lord like the coming of a king or Caesar for whose arrival the community must be prepared.«

[92] Art. παρουσία κτλ., in: ThWNT Bd. 5, 862. Vgl. auch K.P. Donfried, The Cults of Thessalonica and The Thessalonian Correspondence, NTS 31 (1985), 336–356, dort 344; J.R. Harrison, Paul and the Imperial Gospel at Thessaloniki, JSNT25 (2002), 71–96.

[93] Yeo Khiok-Khng, A Political Reading of Paul's Eschatology in I and II Thessalonians, AJTh 12 (1998), 77–89, dort 81.

sehenden Göttern bezeichneten, als er Demetrios von Phaleron vertrieben hatte.[94]

Selbst in der Kaiserzeit gibt es Belege für die politische Bedeutung, so wird z.B. der Regierungsantritt des Caligula oder die Ankunft des Nero in Korinth als Parusie bezeichnet.[95]

Ἀπάντησις ist nach E. Peterson »terminus technicus für einen staatlich geübten Brauch der Antike«, »wonach hochgestellte Personen von der Bürgerschaft der Stadt feierlich eingeholt werden«.[96] J.R. Harrison macht darauf aufmerksam, wie Cicero das griechische Wort ἀπάντησις inmitten seiner auf lateinisch verfassten Briefe gebraucht hat, als er die Empfangszenen von Julius Cäsar bei seiner Durchreise durch Italien oder die seines Adoptivsohns Octavian schilderte:[97] »quas fieri censes ἀπάντησις ex oppidis, quos honores!« (Ad Attico viii.16.2). »Puero municipia mire favent. Iter enim faciens in Samnium venit Cales, mansit Teani. mirifica ἀπάντησις et cohortatio hoc tu putares?« (Ad Attico xvi.11.6).[98]

Josephus benutzt das Wort in Bell. 7,100, um den Empfang des Titus in Antiochien zu beschreiben:

> Als aber die Einwohner von Antiochien erfuhren, dass Titus in der Nähe sei, hielt es sie vor Freude nicht mehr hinter den Mauern, und sie eilten ihm mehr als 30 Stadien weit entgegen. (ἐπί τὴν ὑπάντησιν).

Dass diese beiden deutlich politisch konnotierten Wörter in der Beschreibung des Tages des Herrn in 1 Thess 4,13–17 gebraucht werden, deutet an, dass der Tag des Herrn in politischen Bildern vorgestellt wurde: der Tag des Herrn wird sich wie die Ankunft eines Königs und wie der herzliche Empfang eines triumphalen Herrschers durch seine Untertanen vollziehen.[99] Dass die Parusie nach 1 Thess 5,3 auf eine Gefahr folgen soll, deutet darauf

---

[94] Vgl. Art. παρουσία κτλ., 857f.; O. Weinreich, Antikes Göttermenschtum, in: Römische Kaiserkult (A. Wlosok, Hg.), Darmstadt 1978, 55–81, dort 73ff.

[95] Art. παρουσία κτλ., 857f, besonders Anm. 3 u. 4.

[96] Art. ἀπάντησις κτλ., in: ThWNT Bd. 1, 380. Eine kurze Diskussion mit Ansichten über die jüdisch-alttestamentliche Konnotation des Wortes ἀπάντησις ist in J.R. Harrison, Imperial Gospel, 85 Anm. 54 zu finden.

[97] Imperial Gospel, 85f.

[98] »Was meinst Du wohl, was für Ovationen aus den Städten es gibt, was für Ehrungen!«, »Die Landesstädte sind dem Jungen riesig gewogen. Das zeigte sich, als er auf dem Marsche nach Samnium in Cales eintraf und in Teanum übernachtete. Großartiger Empfang und Ermunterung. Hättest Du das erwartet?« (Übersetzung nach H. Casten, Atticus-Briefe, München ^{3}1980, 524f, 1084f).

[99] Vgl. J.R. Harrison, Imperial Gospel, 71–96; Yeo Khiok-Khng, Political Reading, 77–89. Für sie sind die thess Briefe im Hintergrund des Kaiserkultes, der besonders in Thessaloniki stark vertreten war, zu verstehen. Die politische Problematik wurde m.E. in beiden Korrespondenzen bereits angesprochen, aber mir scheinen die beiden Versuche zu einseitig zu sein, z.B. ist fraglich, ob man ohne weiteres von einer ›Augustian Eschatology‹ sprechen kann?

hin, dass auch die erwartete Gefahr in politischen Bildern vorgestellt wurde. Dann aber ist auch zu fragen, ob diese politische Metaphorik nicht auch auf eine politisch relevante Realität weist.

In Apg 17,1–9 wurde der abwesende Paulus wegen politischer Unruhestiftung verklagt. Nimmt man die Anklage in v7[100] ernst, so besaß die Botschaft des Paulus eine in höchstem Maße politische Dimension und konnte als Proklamation einer Macht als Alternative zur jetzigen Macht verstanden (oder missverstanden) werden. Seine Verkündigung bringt in jedem Fall eine Abwertung der bestehenden Macht zum Ausdruck. Wenn das Ende der Welt nahe herbeigekommen ist, dann ist damit auch das Ende der Mächte dieser Welt nahe. Dass Paulus mit dem Machtanspruch des Claudius (und jedes anderen Kaisers) in Konflikt geraten konnte, liegt auf der Hand.

Ist somit plausibel, dass v4 auf Paulus zurückgehen kann, ist an dieser Stelle kurz zu überlegen, wann Paulus v4 gesagt haben könnte. Den bisherigen Erörterungen zufolge ist es gut denkbar, dass v4 noch während des ersten Besuches gesagt worden ist. 1 Thess 5,1ff würde dann seine zuvor gegebene Lehre unterstreichen. Wenn dies richtig sein sollte, ist weiter zu fragen, welches die mündliche Tradition des Paulus bei seinem zweiten Besuch in Thessaloniki gewesen sein könnte. Um sie zu finden, wenden wir uns v6 zu.

1.3 Das Verzögerungsmotiv (2 Thess 2,6)

καὶ νῦν τὸ κατέχον οἴδατε εἰς τὸ ἀποκαλυφθῆναι αὐτὸν ἐν τῷ ἑαυτοῦ καιρῷ

Zunächst einige Vorbemerkungen zum grammatischen Verständnis dieses Satzes: (1) Der Ausdruck εἰς τό mit Infinitiv ist entweder als Finalsatz oder Konsekutivsatz zu verstehen,[101] aber keinesfalls temporal mit »bis« zu übersetzen.[102] Dieser Infinitiv kann jedoch nicht von οἴδατε abhängig sein,[103] sondern nur von κατέχον, weil das Wissen der Hörer für das Offenbarwerden des Gesetzlosen nicht entscheidend sein kann, sondern allein das κατέχον. Der hier zu Grunde liegende Gedanke ist streng theozentrisch, d.h. Gott allein entscheidet über den geschichtlichen Ablauf.[104] (2) Das αὐτόν in dem mit εἰς τό eingeleiteten Infinitiv bezieht sich auf den Ge-

---

[100] »[…] diese alle handeln gegen des Kaisers Gebote und sagen, ein anderer sei König, nämlich Jesus.«

[101] F. Blass/A. Debrunner/F. Rehkopf, Grammatik des neutestamentlichen Griechisch, Göttingen [17]1990, § 402.2 (332).

[102] Vgl. E. v. Dobschütz, Thess, 280.

[103] Für Giblin, Treat, 205–210, sowie E. Best, Thess, 291, ist aber εἰς τὸ ἀποκαλυφθῆναι nicht von κατέχον abhängig sondern von οἴδατε.

[104] W. Trilling, 2 Thess, 91.

setzlosen. (3) Das Wort κατέχον ist nicht im Sinne von »Innehaben« oder »Fernhalten« aufzufassen, sondern mit »Zurückhalten« zu übersetzen.[105]

Das Wort κατέχειν ist eines der am meist diskutierten Wörter im NT. Es stellt sich hier die Frage, ob Paulus überhaupt, und wenn ja, in welcher Situation davon gesprochen haben könnte. Der Ausdruck τὸ κατέχον als solcher ist abgesehen von dieser Stelle weder bei Paulus noch in den anderen Büchern des NTs zu finden. Dieser Befund führt schnell zu der Annahme, dass der historische Paulus nicht in Verbindung mit diesem Ausdruck gebracht werden darf. Allerdings wird sich das ändern, wenn wir einen Blick auf die zeitgeschichtliche Situation des zweiten Besuches des Paulus werfen.

Der zweite Besuch des Paulus fällt wohl in die Zeit des Claudius-Nachfolgers Nero, der im Jahre 54 das Erbe seines Adoptivvaters angetreten hat. Wir haben oben gesehen, dass der Kaiser Claudius für Paulus und seine Gemeinde eine sich möglicherweise jederzeit offenbarende, latente Gefahr war; man erwartete noch immer die Ausführung der Pläne des Gaius Caligula zur Entweihung des Tempels. Dass Claudius gestorben war, ohne dass diese potentielle Gefährdung eingetreten war, bereitete Paulus und seiner Gemeinde Schwierigkeiten. Man musste sich fragen: *Ist die Prophezeiung des Paulus fehlgeschlagen? Warum war der gesetzlose Mensch nicht aufgetreten?* Diese Schwierigkeiten wurden noch dadurch verstärkt, dass der neue Kaiser Nero dank seiner ehrgeizigen Mutter und ihrer Vertrauensmänner Burrus und Seneca in der Öffentlichkeit im Gegensatz zu Claudius das überzeugende Bild eines princeps darstellte, so dass sich seine Herrschaft einer breiten Zustimmung erfreuen konnte.[106] Von ihm war wenigstens am Anfang seiner Regierungszeit kein Übergriff zu erwarten, der die Caligulakrise wieder aufleben lassen könnte.

Sein Vorgänger Claudius war keine Persönlichkeit vom Format eines Staatsmannes, obwohl der Staat ihm vieles zu verdanken hatte. Er war bereits 50 Jahre alt und behindert,[107] als er von den Prätorianern an die Macht gebracht wurde. Er wurde in Todesangst, zwischen Vorhängen ver-

---

[105] E. v. Dobschütz, Thess, 280; W. Trilling, 2 Thess, 89 Anm. 34. Anders z.B. E. Best, Thess, 301, der »occupier« oder »possessor« vorschlägt: »The katechon is the one in possession. That the force of evil ›possesses‹ or ›occupies‹ the present world fits suitably into apocalyptic thoughts.« Bereits vor ihm Giblin, Threat, 180. 182–204, sowie Re-read, 465. Zuletzt K. Donfried, Church, 49–67.

[106] Vgl. K. Christ, Kaiserzeit, 229.

[107] Dio, LX 2,1: »[...] In mental ability he was by no means inferior [...] but he was sickly in body, so that his head and hands shook slightly. Because of this his voice was also faltering, and he did not himself read all the measures that he introduced before the senate, but would give them to the quaestor to read, though at first, at least, he was generally present.« (Cary, Roman History, 369). Es ist kaum zu übersehen, dass sowohl seine Behinderung als auch seine zittrige Stimme kein gutes Bild als princeps vor der Öffentlichkeit abgaben.

steckt, aufgefunden, nachdem Gaius Caligula getötet worden war.[108] Der Senat musste den von den Prätorianern als *imperator* ausgerufenen Claudius akzeptieren. Dass er nicht dem im Senat verbreiteten Wunschbild eines Staatsmanns entsprach, ist auch aus folgenden Gründen verständlich:[109] Er legte erstens die Staatsverwaltung in die Hände von Freigelassenen und Sklaven, die fähige Spezialisten waren, und ließ sich oft von ihnen leiten,[110] statt die Angehörigen der traditionellen Führungsschicht in diese Positionen zu setzen.[111] Zweitens war er von Frauen abhängig. Seine dritte Frau Messalina wagte eine weitere Ehe mit ihrem Liebhaber, seine vierte Frau Agrippina wurde zu seiner Mitregentin.[112] Es ist daher nicht erstaunlich, dass die öffentliche Meinung nach dem Tod des Claudius auf den Antritt des erst 17 Jahre jungen[113] und schönen[114] Nero als Kaiser positiv reagierte. Da Agrippina und Nero ihrerseits schon lange gezielt auf seine Popularität hin gearbeitet hatten,[115] wussten sie diese positive Reaktion der Öffentlichkeit zu ihren Gunsten zu nutzen. Nero ließ mit Hilfe Senecas[116] in seiner ersten Rede im Senat durchblicken, dass er sich von der Politik des Claudius distanzierte,[117] und suchte »seine Freigiebigkeit, seine Milde, ja selbst seine

---

[108] Sueton, Claudius 10.

[109] Sueton erzählte Szenen, in denen Claudius noch in seiner jüngeren Zeit von anderen lustig gemacht wurde: Als er einmal zu spät zur Tafel kam, wurde ihm erst ein Platz zugestanden, nachdem er um die ganze Tafel herumgegangen war. Und als er nach dem Essen einschlief, bewarf man ihn mit Fruchtkernen und ließ ihn von Hofnarren mit ihren Peitschen aufwecken (Claudius 8). Die Szenen illustrieren, wie Claudius wohl von im Hof anwesenden Adligen geschmäht wurde. Dass der Senat eine solche Person nicht gern als *imperator* haben wollte, liegt auf der Hand.

[110] Vgl. Dio, LX 2,5: »Hence he had acquired none of the qualities befitting a freeman, but, though ruler of all the Romans and their subjects, had become himself a slave […].« (Cary, Roman History, 371).

[111] K. Christ, Kaiserzeit, 223f.

[112] Sueton, Claudius 29.

[113] Das junge Alter des Nero hat man mit positiven Erfahrungen in der Geschichte in Verbindung gebracht: Mit 18 hat Pompeius in Cinna am Feldzug teilgenommen, mit 19 Octavianus Bürgerkriege durchgestanden (Tacitus, Ann. 13,5; vgl. E. Heller, Tacitus Annalen, Bibliothek der Antike, Zürich u.a. 1982, Anm. 15).

[114] Seine Schönheit wurde von Seneca mit Apoll verglichen: »[...] er, mir ähnlich an Aussehen, ähnlich an Schönheit, in der Kunst des Gesangs und im Klang der Stimme mir ebenbürtig [...]. Solch ein Kaiser erscheint, so wird Rom jetzt seinen Nero schauen. Es leuchtet strahlend in mildem Glanz sein Antlitz und unter wallendem Haar sein bildschöner Nacken. So sang Apollo [...].« (Apocolocyntosis 4,1f).

[115] Vgl. Dio, LXI 33,9: »For Agrippina was leaving no stone unturned in order to make Nero popular with the masses and to cause him to be regarded as the only successor to the imperial power.« (Übersetzung von Cary, Roman History).

[116] Dio, LXI 3,1.

[117] Nach Tacitus, Ann. 13,4, verspricht Nero, dass er nicht den Richter in allen Händen spielen werde. Dies spiegelt nach E. Heller, Tacitus Annalen, Anm. 10, die vielen Prozesse wider, die unter Ausschluss der Öffentlichkeit von seinen Freigelassenen bzw. Frauen am Hof entschieden wurden. Ferner versicherte Nero nach Tacitus, dass der Senat seine alten Aufgaben behalten

Leutseligkeit zu zeigen«, indem er z.B. Steuern teilweise abschaffte oder verringerte, und Geld unter dem Volk verteilte.[118] Der Antritt des Nero als princeps stand also ganz im Zeichen der Hoffnung.[119]

Der Tod des Claudius und der Antritt Neros als princeps wirkten sich auch für die Christen positiv aus. Denn mit dem Tod des Claudius wurde das claudische Edikt vom Jahr 49 n.Chr. faktisch aufgehoben. Kaiser Nero setzte diese Entwicklung fort, indem er viele Beschlüsse und Verordnungen des Claudius außer Kraft setzte,[120] darunter auch den Grundsatz der claudischen Religionspolitik, an der väterlichen Tradition festzuhalten. Selbst für Paulus wurde es nun möglich, endlich nach Rom zu reisen, was er seit längerer Zeit schon erhofft hatte (Röm 1,13).

Angesichts dieser entspannten Lage dürfte Paulus sich aufgefordert gesehen haben, zur Veränderung der Situation Stellung zu beziehen, um seine Glaubwürdigkeit nicht zu verlieren: Was wird nun aus der potentiellen Gefahr, worauf er zur Zeit des Claudius aufmerksam gemacht hatte (1Thess 5,2f)? Um mit dieser Situation sinnvoll umzugehen, dürfte das Stichwort »aufhalten« hilfreich gewesen sein: Der gesetzlose Mensch, der einmal in Claudius gesehen worden war, war durch seinen Tod entmachtet worden[121] und es war eine Entspannung mit dem neuen Kaiser eingetreten, aber die Gefahr sei jedoch keineswegs endgültig vorüber, sondern sie sei lediglich aufgehalten worden, damit (so dass) der eigentliche »Gesetzlose« auftreten werde.

Diese Neuinterpretation der Situation dürfte für Paulus keine große Schwierigkeit dargestellt haben, denn er war wahrscheinlich mit dem Geschick des Gaius Caligula vertraut, der durch eine Verschwörung von Soldaten getötet und damit[122] von seinem gesetzlosen Plan abgehalten worden

---

werde. Dies bedeutet nach Heller, ebd. Anm. 11, »die Gesetzgebung, die Wahl der alten republikanischen Beamten und die Kriminalgerichtsbarkeit über die Senatoren«.

[118] Sueton, Nero 10.

[119] Es war für Seneca, apocol. 4,1, der »Anfang des glücklichsten Zeitalters«; K. Clauss, Kaiser und Gott. Herrscherkult im römischen Reich, Darmstadt 2001, 98 Anm. 110, führt einen alexandrinischen Beleg an (POxy 7,1021), wonach Nero als »die Erwartung und Hoffnung der Welt« gefeiert wurde.

[120] Sueton, Nero 33.

[121] Dafür, dass hinter dem »aufhalten« ein historisches Geschehen steht, spricht, dass sich trotz einer gewissen Nähe des Textes zu jüdischen apokalyptischen Traditionen hinsichtlich des »Aufhalten« nichts Vergleichbares finden lässt (vgl. v. Dobschütz, Thess, 280: »Dieser Begriff hat wohl Parallelen in der jüdischen Eschatologie, sofern es dort heißt, dass Israels Sünden den Anbruch des Gottesreiches aufhalten; aber von einem Niedergehaltenwerden der gottfeindlichen Macht ist nirgends dort die Rede.«). Dies ist allerdings für E. Reinmuth, Thess, 180, Grund genug, jede (historische) Spekulation zu unterlassen.

[122] Der gesetzlose Plan des Caligula wurde zunächst vorläufig durch den einsichtigen syrischen Legat Petronius aufgehalten. Die wirkliche Vereitelung des Planes aber geschah mit dem Tod Caligulas. Als Jude dürfte Paulus über diesen zeitgenössischen Vorgang gut informiert gewesen sein. Anders v. Dobschütz, Thess, 283, der im Edikt des Claudius oder Gallio (Apg 18,2) die

war. Dass Claudius, der als potentielle Gefahr einst gefürchtet war, nun durch seinen Tod von der geschichtlichen Bühne abgetreten war, erinnerte Paulus wohl an den Abgang des Gaius Caligula und das Scheitern seines Planes, in Jerusalem sein Standbild aufzustellen.

V6 spiegelt diese Situation gut wider. Die enge Verbindung von »τὸ ἀποκαλυφθῆναι κτλ.«, das schon in v3bβ erwähnt wurde, mit τὸ κατέχον lässt den Eindruck entstehen, dass die hier erwähnte »Offenbarung« mittels des Wortes »aufhalten« korrigiert wurde: Der Satz v6 wurde also im Hinblick auf v3bβ formuliert, wobei das neue Wort »aufhalten« eingeführt wurde. Dafür, dass der wesentliche Inhalt von v6 von Paulus während seines zweiten Besuches gesagt worden sein könnte, haben wir Indizien im Römerbrief, der kurz nach dem zweiten Besuch Makedoniens abgefasst worden ist. In Röm 13,1f heißt es nämlich:

> Jedermann sei untertan der Obrigkeit, die Gewalt über ihn hat. Denn es ist keine Obrigkeit außer von Gott; wo aber Obrigkeit ist, die ist von Gott angeordnet. Wer sich nun der Obrigkeit widersetzt, der widerstrebt der Anordnung Gottes [..].[123]

Es ist auffällig, wie positiv die Obrigkeit und damit wohl auch die imperiale Macht des römischen Reiches in diesem Text gesehen werden. Nicht nur »übergeordneten Gewalten Folge zu leisten«[124] wird geraten, sondern darüber hinaus wird sogar erklärt, dass es Gott selbst sei, der alle Gewalten einsetze. An dieser Stelle ist leicht vorstellbar, dass hinter der Aussage eine positive Erfahrung des Paulus steht, nämlich die als »von Gott kommend« angesehene Absetzung des Claudius durch seinen Tod und die Einsetzung des neuen Kaisers. In v7 wird sogar empfohlen, der Obrigkeit Furcht und Ehre zu zollen: Indirekt wird hier spürbar, dass die Hoffnung auf den Antritt des Nero als princeps von Paulus nicht abgelehnt wurde. Wenn man diese Stelle mit 1 Thess 5,3 vergleicht, wo das Ende des römischen Friedens und damit der imperialen Macht bald erwartet wird, ist eine deutliche Veränderung kaum zu übersehen. Paulus korrigiert offensichtlich seine Einschätzung der imperialen römischen Macht, die er zunächst als Gefahr wahrgenommen hatte, die er jetzt aber grundsätzlich positiv bewertet. Nur versteckt deutet er an, dass diese Wertschätzung nur der bestehenden Macht gilt – und zwar, solange sie Bestand hat. So kann man die Aussage in Röm

---

paulinischen Erfahrungen mit der römischen Macht sehen will, oder Milligan, Thess, 101, der die Erfahrungen des Apostels mit den römischen Behörden in Paphos (Apg 13,6ff) und in Thessaloniki (Apg 17,6ff) als Hintergrund für die zurückhaltende Macht vermutet.

[123] Die Überlegung, Röm 13,1 7 sei eine Interpolation, ist sowohl aufgrund der vielen darin enthaltenen typisch-paulinischen Worte, als auch wegen der deutlichen Stichwortverbindungen mit dem Kontext als abwegig zu betrachten. Der Text geht auf Paulus selbst zurück. Vgl. U. Wilckens, Der Brief an die Römer, EKK Bd VI/3, Neukirchen-Vluyn u.a. 1982, 30f; J.A. Fitzmyer, Romans, AnB 33, New York u.a. 1993, 664f.

[124] Die Übersetzung von Wilckens, Römer, 29.

13,1 verstehen: »Denn es ist keine Obrigkeit außer von Gott; wo aber Obrigkeit (d.h. jetzt und vorübergehend) besteht (αἱ δὲ οὖσαι), die ist von Gott angeordnet.«[125]

Dagegen könnte man einwenden, dass die positive Einstellung des Paulus in Röm 13 auf die Abfassungssituation des Römerbriefes zurückgehe, da Paulus versuchte, die Gunst der römischen Gemeinde zu gewinnen, um von dort aus, d.h. mit ihrer Hilfe, die Missionsreise nach Spanien zu starten. Wäre Paulus von der Gemeinde in Rom als Unruhestifter wahrgenommen worden, hätte er keine Chance gehabt, seinen Plan zu verwirklichen. Dies ließe sich eventuell sogar damit unterstreichen, dass der wesentliche Gedanke des Textes 13,1–7 jüdisch-alttestamentlichem Denken entstammt.[126] Allerdings würde dies kaum ausreichen, die Einstellungsänderung des Paulus zu erklären. Auch nicht wesentlich weiterführend ist es, auf die verschärfte Steuersituation zur Zeit des Nero als im Hintergrund des Textes stehend aufmerksam zu machen, etwa in dem Sinne, dass es Paulus hier um die Zurückhaltung der römischen Gemeinde im Konflikt um die Steuern gegangen sei bzw. dass er um die souveräne Ausübung der Steuererhebung durch dafür Beauftragte in der Gemeinde bemüht gewesen sei.[127] Solange Paulus von einer unmittelbaren Gefahr, wie 1 Thess 5,3 sie darstellt, überzeugt war, ist eine solch positive Einstellung, wie sie in Röm 13 deutlich wird, kaum denkbar.

Aber dass die Gefahr auch weiterhin besteht und nur *aufgehalten* wurde, deutet sich schon in Röm 13,11–12 an:

> Und das tut, weil ihr die Zeit erkennt, nämlich dass die Stunde da ist, aufzustehen vom Schlaf, denn unser Heil ist jetzt näher als zu der Zeit, da wir gläubig wurden. Die Nacht ist vorgerückt, der Tag aber nahe herbeigekommen. So lasst uns ablegen die Werke der Finsternis und anlegen die Waffen des Lichts.

Nirgends ist hier etwas von einer deutlichen Verschiebung der Parusie zu spüren. Der Tag ist trotz des neuen Kaisers nahe.

Was die Herkunft der Idee vom »Aufhalten« angeht, so gehen die Meinungen auseinander: Für v. Dobschütz z.B. hat Paulus diese ad hoc entwickelt, da zwar in der jüdischen Eschatologie »Israels Sünden den Anbruch des Gottesreiches aufhalten, aber von einem Niedergehaltenwerden der gottfeindlichen Macht nirgends dort die Rede ist«.[128] Für A. Strobel dagegen ist es wahrscheinlich, dass das Wort κατέχειν und die Idee des »Aufhaltens«

---

[125] So deutet M. Dibelius, Rom und die Christen im ersten Jahrhundert, in: R. Klein (Hg.), Das frühe Christentum im Römischen Staat, WdF 267, Darmstadt 1971, 47–105, dort 55.

[126] Dafür ausführlicher siehe Wilckens, Römer, 33.

[127] J. Friedrich/W. Pöhlmann/P. Stuhlmacher, Zur historischen Situation und Intention von Röm 13,1–7, ZTK 73 (1976), 131–166.

[128] 2 Thess, 280.

aus Hab 2,3 stammen, wenn auch das griechische Wort in LXX an dieser Stelle χρονίζω und nicht κατέχω lautet und Paulus gewiss Traditionsgut weiter gibt.[129] Die konkrete geschichtliche Anwendung der Vorstellung vom »Aufhalten« geht sicherlich auf Paulus selbst zurück, aber die Vorstellung an sich wird kaum von Paulus entwickelt worden sein, denn er beabsichtigte an dieser Stelle keineswegs, eine abgerundete eschatologische Lehre abzugeben, sondern versuchte lediglich, die gegenwärtige Situation interpretierend zu erklären. Gut vorstellbar ist, dass er sich einer jüdisch-alttestamentlichen Vorstellung von der Verspätung der Gottesheilszeit bediente, aber ob diese aus Habakuk 2,3 stammt, wie A. Strobel behauptet, ist unsicher.

Erweist es sich mit obiger Erklärung also als wahrscheinlich, dass der Kern von v6 auf eine Aussage des Paulus bei seinem zweiten Besuch in Makedonien zurückgeht, so behandeln wir zum Abschluss dieses Abschnittes eine Frage, die zum Verständnis des Verses unentbehrlich ist. Es handelt sich um die Frage, wie das »νῦν« am Anfang des Satzes verstanden werden kann.[130] In der Forschung sind drei mögliche Deutungen zu beobachten:

(1) Das νῦν bezieht sich auf das »Aufhaltende«. Daraus ergibt sich die Übersetzung das »nun (jetzt) Aufhaltende«.[131]

(2) Die meisten Ausleger beziehen das νῦν auf das Hauptverbum »οἴδατε«, so dass daraus die Übersetzung resultiert: »Ihr wisst ja nun (im Sinne von jetzt) das Aufhaltende«. Dabei wird das νῦν meist als Gegenüber zu dem vorhergehenden Ausdruck »ἔτι ὢν πρὸς ὑμᾶς« betrachtet.[132]

(3) Im Gegensatz zu diesen beiden temporalen Deutungen des νῦν wurde zuletzt eine nicht-temporale Verwendung des Wortes vorgeschlagen. Prinzipiell ist auch mit der Möglichkeit eines »logischen Nun« zu rechnen.[133]

---

[129] A. Strobel, Untersuchung zum eschatologischen Verzögerungsproblem auf Grund der spätjüdisch-urchristlichen Geschichte von Habakuk 2,2ff, NT.S 2, Leiden 1961, 101–107.

[130] Nach W. Trilling, 2 Thess, 88, ist diese Stelle eine der umstrittensten des 2 Thess. Um die Wende des vorigen Jahrhunderts stellte Bornemann, Thess, 365–366, sogar acht mögliche Deutungen für diese Stelle vor. Diese möglichen Deutungen hat er jedoch in einem Maße differenziert, dass man den Eindruck bekommt, er liste einfach alle möglichen Meinungen auf.

[131] G. Lünemann, Thess, 205, nennt die Namen der Exegeten, die im vorigen Jahrhundert diese Ansicht vertreten haben, z.B. Whitby, Macknight. In unserem Jahrhundert wird sie von Neil, Thess, 165, und in der Lutherübersetzung vertreten.

[132] Z.B. v. Dobschütz, 2 Thess, 278; W Trilling, 2 Thess, 88f; E. Reinmuth, Thess, 179; Morris, Thess, 225; J.E. Frame, Thess, 262; Milligan, Thess, 100f.

[133] Vgl. Lünemann, Thess, 206.

Die Lösung (1) wird heutzutage weitgehend mit der Begründung abgelehnt, das νῦν hätte dann zwischen dem Artikel τό und dem Partizip κατέχον zu stehen. Blaß/Debrunner und Rehkopf erklären zwar, dass im NT Stellen zu finden sind, an denen das Partizip von seiner Ergänzung getrennt steht:[134] Mk 9,1; Hebr 12,25. Dass diese seltene Erscheinung aber auch hier vorliegt, erscheint mir zweifelhaft.

Gegen die zweite Lösung (2) ist einzuwenden, (a) dass der Text den Eindruck vermittelt, dass die Leser des Briefes nicht erst jetzt τὸ κατέχον erkennen, sondern bereits von einem »Aufhaltenden«, dem κατέχον, wussten, (b) dass das Wort οἴδατε nicht »erkennen«, sondern schlicht »wissen« bedeutet,[135] ferner, (c) dass der Satz als Gegenüber von »ἔτι ὢν πρὸς ὑμᾶς« nicht »καὶ νῦν κτλ.« sondern »καὶ δὲ νῦν κτλ.« heißen müsste, worauf bereits Borneman aufmerksam gemacht hat.[136]

Dagegen findet die Lösung (3) bekanntlich Unterstützung in Apg 13,11; 20,22, wo ebenfalls ein »Übergang von rein temporalem ›jetzt‹ zu dem – zu einer Folgerungspartikel abgeschwächten – ›nun‹« zu beobachten ist,[137] auch wenn das nicht von allen Exegeten akzeptiert wird.[138]

Von diesen drei Lösungsmöglichkeiten schlage ich Lösung (3) vor. Im Gegensatz zu (1) und (2) ist sie grammatikalisch nicht mit Problemen belastet und macht inhaltlich den Text am besten verständlich. Im Zusammenhang mit v6 ist schon deutlich geworden, dass die Lehre bereits gegeben ist und nun nur rekapituliert wird. Es wurde bereits von Hofmann[139] darauf aufmerksam gemacht, wie eng die beiden Verse 5 und 6 miteinander verbunden sind. Zwar ist v6 nicht als eine an v5 anschließende Frage zu verstehen, aber was in v6 gesagt ist, sollte in Verbindung mit v5 interpretiert werden. Das heißt konkret: »Ihr erinnert euch doch an meine Anweisungen, als ich bei euch war, eben darum wisst ihr ja von dem, was aufhält, damit es zu seiner Zeit offenbart wird!« Dass die Gemeinde aufgrund paulinischer Anweisung von sich aus eine neue Folgerung ziehen soll, wird hier nicht gesagt, sondern es wird lediglich der Wunsch zum Ausdruck gebracht, sie möge sich an etwas ihr schon Mitgeteiltes erinnern. Erinnert sich die

---

[134] §474,5,c (403).

[135] Bornemann, Thess, 366.

[136] Thess, 365f; zuletzt auch Malherbe, Thess, 422.

[137] Blass/Debrunner/Rehkopf, Grammatik, §442,8,d (369).

[138] Z.B. sind für v. Dobschütz alle Belege in Apg nur im temporalen Sinn zu verstehen. Bornemann, Thess, 366, räumt dieser Deutung zwar ein gewisses Maß an Wahrscheinlichkeit ein, degradiert sie aber als Notlösung, ohne irgendein Argument zu nennen.

[139] Für ihn ist v6 zusammen mit v5 als eine Frage zu verstehen, etwa so: Erinnert ihr euch nicht [...] und wisst ihr nicht [...]? Der Schwachpunkt seiner Ansicht ist, dass v6 dann καὶ οὐ οἴδατε νῦν τὸ κτλ. lauten soll.

Gemeinde an das, was Paulus bereits erklärte, dann weiß sie ohnehin davon.[140]

Paulus hat wahrscheinlich nicht in der Form eines Partizips von »aufhalten« gesprochen. Denn, wie oben bereits gezeigt wurde, dürfte er hinsichtlich der damaligen Gegenwart angenommen haben, dass die potentielle Gefahr mit dem Tod des Claudius schon »aufgehalten« worden ist. Das »Aufhaltende« (im Partizip Präsens) aber meint einen in der Gegenwart noch wirkenden Faktor. Dass das einmalig Verzögernde in ein zeitlos »Aufhaltendes« umgeformt worden ist, muss nicht unbedingt auf Paulus, sondern könnte auch auf einen Mitarbeiter nach seinem Tod zurückgehen, eventuell sogar auf den Autor des 2 Thess selbst, um das von Paulus Gesagte mit einem knappen Stichwort zu benennen und zu verallgemeinern. Das eher logische »Nun« unterstreicht ja lediglich, was die Gemeinde weiß, wenn sie sich an das von Paulus Gesagte erinnert. Der Autor des 2 Thess sucht offenbar die Zustimmung der Gemeinde in Bezug auf seine Einschätzung der Situation. Ob noch andere Teile der Rede über den Gesetzlosen (vv1–12) auf ihn zurückgehen, haben wir im Folgenden zu untersuchen.

1.4 Nero als Geheimnis der Bosheit in 2 Thess 2,7f?

Denn schon ist das Geheimnis der Gesetzlosigkeit wirksam, nur offenbart es sich nicht, bis der, welcher jetzt zurückhält, aus dem Weg ist, und dann wird der Gesetzlose geoffenbart werden, den der Herr Jesus beseitigen wird durch den Hauch seines Mundes und vernichten durch die Erscheinung seiner Ankunft.

Zunächst sind die Verse 7f als weitere paulinische Tradition zu überprüfen. Dem ersten Anschein nach könnten sie auf den historischen Paulus zurückgehen. Der erste Satz von Vers 7 könnte in einen Zusammenhang mit Röm 13,11ff gestellt werden, wie ein Vergleich zeigt. Der 2 Thess sagt: »Denn schon ist das Geheimnis der Gesetzlosigkeit wirksam« (2,7). Der echte Paulus sagt: »Die Nacht ist vorgerückt [...]« (Röm 13,12).

Ähnliches ergibt sich bei der Betrachtung des zweiten Satzes in diesem Vers: »Nur muss der, der es jetzt aufhält, weggetan (= beseitigt) werden« (v7b). Es handelt sich um eine logische Präzisierung von v6, denn die dortige Spannung zwischen dem »Aufhaltenden« und der »Offenbarung des Gesetzlosen« impliziert, dass Ersteres im Laufe der Zeit beseitigt wird.

[140] Gegenüber dieser m.E. wahrscheinlicheren Deutung hat die andere Deutung (Lösung 2), nämlich das »nun« als Zeitpunkt der Erfüllung einer paulinischen Prophetie zu verstehen, die Schwierigkeit, beweisen zu müssen, wann Paulus sie gesprochen haben und wann sie in Erfüllung gegangen sein könnte. Da das für die historische Person des Paulus nicht möglich schien, suchte man die vermeintliche Prophetie des Paulus als unauthentisch zu erweisen. So W. Trilling, ebd.

Genauso ist in v8 der erste Satz des v8 über die »Offenbarung des Bösen« in der Aussage von v6 über »seine Offenbarung« bereits enthalten.

Das letzte Verb des zweiten Satzes, »vernichten« findet in 1 Kor 15,24–26 seine Entsprechung, nur dass in 1 Kor 15 von vielen Mächten die Rede ist und als letztem Feind vom Tod, nicht aber von einer Macht der Gesetzlosigkeit:

> Danach [kommt] das Ende, wenn er das Reich Gott, dem Vater, übergeben wird, nachdem er alle Herrschaft und alle Macht und Gewalt vernichtet hat [...]. Der letzte Feind, der vernichtet wird, ist der Tod.

Bei näherem Hinsehen werden jedoch einige Ungereimtheiten sichtbar, die auf eine andere geschichtliche Situation als die des Paulus schließen lassen, der die Kernaussage von v6 geprägt hatte.

Zunächst ist der mit einem bestimmten Artikel (maskulin) näher definierte Ausdruck »der Aufhaltende« in v7 zu erwähnen. Auffallend ist an dieser Stelle das Maskulinum, da in v6 »das Aufhaltende« im Neutrum gebraucht wird. Paulus hat wohl das Wort »aufhalten« ins Spiel gebracht, hier jedoch ist die Hand eines anderen zu spüren, der das von Paulus Gesagte weiterführend präzisieren zu wollen scheint: Anstelle eines »aufhaltenden« Aktes wird nun ein Akteur hervorgehoben. Gemeint ist wohl, dass der Kaiser Nero mit dem Tod seines Vorgängers in Verbindung gebracht wird, so dass dieser faktisch zu dem Aufhaltenden wird. Das partizipiale Neutrum in v6, das wir oben bereits auf den Autor des 2 Thess zurückführten, lässt sich als eine Vorstufe betrachten, die von vorneherein auf ihre Konkretisierung in v7 zielte.

Die Verbindung des Todes von Claudius mit Nero kann nicht von Paulus, der hier während seines zweiten thessalonischen Besuches spricht, stammen, denn die Vergiftung des Claudius durch Agrippina bzw. Nero[141] wurde erst später bekannt. Offiziell bekannt war am Anfang nur, dass der Kaiser Claudius einen natürlichen Tod erlitten hatte, ansonsten wäre die öffentliche Rede des Nero bei der Trauerfeier für den verstorbenen Claudius kaum vorstellbar. Der Verdacht einer gewaltsamen Beseitigung des Vorgängers durch Nero konnte jedoch bei Menschen, welche die Herrschaft des Nero miterlebt hatten, leicht aufkommen. Denn (1) war die durch die Beziehung zu seiner Mutter gegebene Mitverantwortung des Nero für den Tod des Claudius in der Zwischenzeit bekannt geworden.[142] Damit wurde Nero zu dem, der Claudius beseitigt und damit das Ende »aufgehalten« hatte. (2) Der Blick auf die Vergangenheit geschieht von der Gegenwart des

---

[141] Vgl. Dio, LX 34,2ff.

[142] Nach Tacitus, Ann. 12,67, waren alle Vorgänge der Vergiftung so gut bekannt, dass »Geschichtsschreiber jener Zeit berichten konnten«.

Autors aus, d.h. weil Nero der Nachfolger des Claudius war, war es leicht, seinen Amtsantritt als princeps als einen seinen Vorgänger aufhaltenden Akt zu sehen und damit Nero als den Aufhaltenden zu betrachten.[143]

Der konkrete Bezug auf den »aufhaltenden« Akteur hat in einem speziellen Sinn eine Parallele in der Geschichte der Caligulakrise. Die Verwirklichung von Caligulas Plan wurde nämlich von einem vernünftigen syrischen Legat namens Petronius zeitweise »aufgehalten«, bevor der Kaiser selbst durch eine Verschwörung der Prätorianer endgültig bei der Ausführung seines Planes »aufgehalten« wurde. Es ist durchaus vorstellbar, dass Petronius von den Juden für ein Werkzeug Gottes gehalten wurde. Denn Philo schrieb von ihm sehr positiv:

> Aber er besaß wahrscheinlich einen Schimmer von der jüdischen Philosophie und Frömmigkeit, mag er sie schon früher in seinem Bildungsdrang kennen gelernt haben oder seit seiner Amtstätigkeit in dem Gebiet, wo Juden in großer Zahl leben, besonders in Kleinasien und Syrien. [...] Wie es scheint, gibt Gott aber den Guten gute Gedanken ein, durch die sie, wenn sie anderen helfen, sich selbst nützen können. (legGai 245)

Wenn Nero bei seinem Auftritt als princeps zunächst ein positives Bild abgegeben hat, ist es gut vorstellbar, dass er wie Petronius von einigen Christen für ein Werkzeug Gottes gehalten wurde. Wenn das der Fall gewesen sein sollte, dann dürfte für den Verfasser von 2 Thess 2,7 der Schritt von der paulinischen Rede von einem aufhaltenden *Akt* zu einem konkreten, aufhaltenden *Akteur*, keine allzu große Mühe bereitet haben.[144]

Dieser Kaiser Nero, der doch bei seinem Antritt als princeps große Hoffnungen geweckt hatte, erwies sich im Laufe seiner Herrschaft als Feind, der Senat erklärte ihn am Ende seiner Herrschaft zum Staatsfeind.[145] Spätestens nachdem Nero seine Mutter Agrippina getötet hat (im Jahr 59 n.Chr.), war sein Wahnsinn nicht länger unter Kontrolle zu halten, sogar sein enger Berater und Lehrer Seneca musste sich auf seine Veranlassung hin das Leben nehmen.[146] Nero war nicht allein dem Staat feindlich gesinnt, sondern stellte bekanntermaßen auch für die Christen eine Gefahr dar. Seine grau-

---

[143] Vgl. den kleinen Exkurs: Das Aufhaltende und der Aufhaltende.

[144] Es ist kaum wahrscheinlich, dass Paulus für die Formulierung von »das Aufhaltende« bzw. »der Aufhaltende« verantwortlich war. Dagegen sprechen die unterschiedlichen Formulierungen, einmal im Neutrum und einmal im Maskulinum, die offenbar auf eine andere Hand als die des Paulus verweisen: Hätte Paulus von »ὁ κατέχων« gesprochen, wäre nicht zu erklären, warum in 2Thess 2,6 von »τὸ κατέχον« die Rede ist. Da aber »τὸ κατέχον« ohne Verbindung mit »ὁ κατέχων« keinen Sinn macht, ist kaum vorstellbar, dass Paulus nur von »τὸ κατέχον« gesprochen haben sollte.

[145] Vgl. Sueton, Nero 49.

[146] Vgl. Dio, LXII 24,1.

same Verfolgung gegen die Christen in Rom beschreibt Tacitus mit den bekannten Worten:

> Und als sie in den Tod gingen, trieb man noch seinen Spott mit ihnen in der Weise, dass sie, in die Felle wilder Tiere gehüllt, von Hunden zerfleischt umkamen oder, ans Kreuz geschlagen und zum Feuertod bestimmt, sobald sich der Tag neigte, als nächtliche Beleuchtung verbrannt wurden.[147]

Die Grausamkeit Neros erweckte Tacitus zufolge sogar in der Bevölkerung Mitleid.[148] Auch Paulus wurde unter ihm getötet.[149]

Der am Anfang seiner Regierungszeit ursprünglich positive Ruf des jungen Kaisers Nero dürfte spätestens nach dem Tod des Paulus für Christen in den paulinischen Gemeinden ins Negative umgeschlagen sein.[150] Man erkannte nun die feindliche Seite des ehemals umjubelten Kaisers. Dass sich Nero in der julisch-claudischen Kaiserfamilie neben Caligula in hohem Maße mit den traditionellen Gottheiten identifiziert hat,[151] dürfte dazu beigetragen haben:

> Coins strucked in the East called him [Nero s.c.] θεός and his bust on the coins had him wearing the radiate crown of the deified Emperors. Nero was invested with the titles of Savior and Benefactor and was called ›Lord of the whole cosmos‹.[152]

Dieses in seiner Spätzeit sich formende Bild des Kaisers Nero passt m.E. gut zu der Aussage in v7. »Das Geheimnis der Gesetzlosigkeit, das schon wirksam ist [...]«.[153] Dieser Ausdruck spiegelt die Grausamkeit der spät-

---

[147] Tacitus, Ann. 15,44.

[148] »Daraus entwickelte sich Mitgefühl, wenngleich gegenüber Schuldigen, die die härtesten Strafen verdient hätten: denn man glaubte, nicht dem öffentlichen Interesse, sondern der Grausamkeit eines einzelnen würden sie geopfert.« (Tacitus, Ann. 15,44).

[149] Der Tod des Paulus hat sich aber wohl noch vor der großen Verfolgung der Christen durch Nero im Jahr 64 n.Chr. ereignet (etwa um 62 n.Chr.). Vgl. C. Büllesbach, Das Verhältnis der Acta Pauli zur Apostelgeschichte des Lukas. Darstellung und Kritik der Forschungsgeschichte, in: F.W. Horn, Das Ende des Paulus. Historische, theologische, und literargeschichtliche Aspekte, BZNW 106, Berlin u.a. 2001, 215–238, dort 222f und Anm. 30.

[150] Das negative Image Neros findet sich kaum in rabbinischer Literatur, was vielleicht damit zusammenhängen könnte, dass hauptsächlich Christen nicht aber Juden von ihm verfolgt und misshandelt wurden (Vgl. G. Stemberger, Die Beurteilung Roms in der rabbinischen Literatur, ARNW II,19,2, Berlin/New York 1979, 338–396).

[151] H.W. Tajra, The Martyrdom of St. Paul, WUNT 2/67, Tübingen 1994, 9f: »Already at the outset of his reign, in 55 A.D, senators had proposed placing his statue in the temple of Mars Ultor. This motion was more than an ascription of divine attributes to Nero. [...] The fact that Nero statue was to be of the same size as that of the temple's titular god was a highly symbolic gesture aimed at equating Nero with Mars Ultor himself.« (Vgl. Tacitus, Ann. 13,8).

[152] Ebd. 9. Selbst in Rom soll Nero nach Dio, LXIII 20, im Jahr 68 von der Bevölkerung beim Triumphzug als »Apollo« sowie »Herakles« begrüßt worden sein.

[153] Best, Thess, 29, möchte im Hinblick auf eine Qumranparallele das Verb ἐνεργεῖται als *passivum divinum* auffassen (ähnlich auch bei Malherbe, Thess, 423).

neroanischen Herrschaft wider.[154] Und die Aussage, dass der Aufhaltende aus der Mitte (weg)sein werde,[155] erinnert daran, dass Nero auf der Höhe seiner Herrschaft gestürzt und vertrieben wurde. Als er noch Kaiser war, wurde Galba vom Senat als princeps akklamiert. Er nahm sich zwar selbst das Leben, den Anstoß zu seinem Selbstmord aber gab die Anerkennung Galbas durch den Senat. Nero versuchte zu fliehen, bis er schließlich von Soldaten verfolgt den Entschluss zum Selbstmord fasste.

Einige spätere Kirchenväter verstanden die Entthronung und den Tod des Nero als Strafe Gottes dafür, dass er die Apostel Paulus und Petrus hatte töten lassen.[156] In diesem Zusammenhang ist eine interessante Stelle eines späteren Kirchenvaters zu erwähnen:

> [...] he [Nero s.c.] nailed Peter to the cross and slew Paul. For this he did not go unpunished; God took note of the way in which His people were troubled. *Cast down from the pinnacle of power and hurtled from the heights*, the tyrant, powerless, suddenly disappeared; not even a place of burial was to be seen on the earth for so evil a beast. (Lactantius, de Mortibus Persecutorum 2)[157]

Zwar stammt der Text aus der Zeit zwischen 316 und 321 n.Chr., aber der von mir hervorgehobene Satz gibt zu bedenken, ob nicht das Ende des Nero von den paulinischen Christen ähnlich betrachtet worden sein könnte, so dass wir hier eventuell eine Sichtweise finden, die eine Parallele zu 2 Thess 2,7 (ἐκ μέσου γένηται) bildet. Das ist auch deswegen beachtenswert, weil der Text des Lactantius eine weitere Ähnlichkeit mit 2 Thess 2,7 aufweist:

> Hence some crazed men believe that he has been borne away and kept alive [...], so that, since he was the first persecutor, he may also be the last and herald the arrival of Antichrist [...] yet just as certain of our number maintain that two prophets have been borne away until the last days before the holy and eternal rule of Christ, in the same way they think that Nero too will come as the forerunner and herald of the devil when he comes to lay waste the earth and overturn the human race.[158]

Genauso wie in 2 Thess 2,7f wird Nero also auch bei Lactantius als Vorbote des eigentlichen »Antichristen« angesehen. Da Lactantius hier über eine Situation aus der Zeit nach Nero berichtet, darf man annehmen, dass sein Bericht vielleicht im Kern auf die postneroanische Zeit zurückgeht.

---

[154] Anders z.B. bei v. Dobschütz, Thess, 281, der an »die allgemeine Sittenverderbnis der Endzeit« denkt (Kritik dazu bei Best, Thess, 293).

[155] Nach Bruce, Thess, 170, sind Parallelen in griechischer Literatur zu finden (z.B. Plutarch, Timeoleon 5,3).

[156] Vgl. R. Ascough, Paul's Macedonian Associations. The social Context of Philippians and 1 Thessalonians, WUNT 2/161, Tübingen 2003, 199; H.W. Tajra, Martyrdom, 199.

[157] Die Übersetzung ist von J.L. Creed, Lactantius. De Mortibus Persecutorum, Oxford 1984 (zitiert nach Tajra, Martyrdom, 176).

[158] Ebd.

Man könnte die Aussagen in v7 zwar als Prophetie und echte Zukunft begreifen und damit auf eine Ebene mit v6 stellen. Aber aufgrund konkreter geschichtlicher Vorgänge scheint es mir angemessener zu sein, sie als *vaticinium ex eventu* zu verstehen. Ein Christ, der die Zeit Neros und die Verfolgung der Christen durch ihn erlebt hatte, schrieb hier unter dem Namen des echten Paulus. Das schon wirksame Geheimnis der Gesetzlosigkeit war das gesetzlose Wirken des Nero, der inzwischen schon ein Ende gefunden hatte.

Auch v8 ist auf ähnliche Art und Weise zu betrachten. Die Aussage, »dann wird der Gesetzlose sich offenbaren«, wird im Brief aus der Perspektive des Paulus angekündigt, die darauf folgende Aussage jedoch, wie dieser beseitigt werden wird, z.B. dass er durch den Hauch aus dem Munde des Herrn beseitigt wird,[159] ist für den historischen Paulus kaum vorstellbar. In 1 Kor 15,24 finden wir zwar die Aussage, *dass* alle Herrschaft, alle Macht und Gewalt von Christus vernichtet werden, jedoch fehlen dort Angaben zum *wie*. Weder in 1 Thess 5,3f noch in Röm 13,11ff sagt Paulus etwas darüber, obwohl Worte dazu zu erwarten wären. Die Emotionen, die hinter der Aussage des Beseitigens (v8) stehen, erinnern vielmehr an die Aussage über die Rache in 2 Thess 1,6.8.9. Auf welche Weise diese beiden Stellen miteinander verbunden sind, werden wir später erörtern.

Exkurs I: Das Aufhaltende und der Aufhaltende[160]

Bemühungen, das Aufhaltende sowie den Aufhaltenden zu identifizieren, gab es in der Forschung zur Genüge. Sie umfassen sowohl positiv als auch negativ konnotierte Figuren bzw. Gegebenheiten. So werden u.a. Gott selbst,[161] der Heilige Geist,[162] Christus,[163] der Erzengel Michael[164] oder die

---

[159] Der Satz ist eine von zwei Anspielungen im 2 Thess, die der LXX nahestehen (Malherbe, Thess, 424).

[160] Einen kurzen (forschungs)geschichtlichen Überblick bietet J. Ernst, Die eschatologischen Gegenspieler in den Schriften des Neuen Testaments, Regensburg 1967, 24–79.

[161] Z.B. A. Strobel, Verzögerungsproblem, 98–116; Ch. L. Holman, 2 Thessalonians 2 (The ›pauline Apocalypse‹), in: Ders., Till Jesus Comes. Origins of Christian Apokalyptic Expectation, Peabody, MA 1996, 103–110; R.D. Aus, God's Plan and God's Power: Isaiah 66 and the Restraining Factors of 2 Thess 2:6–7, JBL 96(1977), 537–553.

[162] Z.B. R.H. Gundry, Correction in 2 Thess, in: Ders., The Church and the Tribulation, Grand Rapids 1973, 112–128; K.D. Barney, The Hinderer, in: G. Jones (Hg.), Conference on the Holy Spirit Digest 2vol, Springfield, MO 1983, 2.263–268; Ch.E. Powell, The Identity of the Restrainer in 2 Thess 2:6–7, Bibliotheca Sacra 154 (1997), 320–332.

[163] H. Cowles, On ›The Man of Sin‹. 2 Thess. II.3–9, in: Bibliotheca Sacra 29 (1872), 623–640; Vgl. K.D. Barney, The Hinderer, für den das Aufhaltende der Leib Christi und die aufhaltende Kraft der Heilige Geist ist.

Existenz leidender Christen in Jerusalem,[165] (das pharisäische Judentum) oder ein falscher Prophet bzw. ein pseudocharismatischer Geist,[166] der römische Staat[167] oder der Satan[168] als potentielle Kandidaten für die Rolle des Aufhaltenden angeführt. Diese extrem gegensätzlichen Auffassungen werden verständlich, wenn man sich den Text, besonders den Wechsel vom Neutrum zum Maskulinum des Katechon, genauer ansieht. Für Paulus, der wohl den Begriff κατέχω ins Spiel gebracht hat, war das Abgelöstwerden des Kaisers Claudius durch seinen Tod ein aufhaltender Akt und zwar durch eine höhere göttliche Gewalt wie Gott oder den Heiligen Geist. Wie die Caligulakrise durch die plötzliche Ermordung des Gaius Caligula aufgehalten wurde, so wurde nun die Gefahr, die Claudius darstellte, durch dessen Tod aufgehalten. Es ist daher verständlich, dass viele Exegeten in dem Vorgang des »Aufhaltens« etwas Positives sehen wollen.[169] Das paulinische Wort wurde jedoch von seinem Mitarbeiter oder seinen Mitarbeitern, auf den bzw. auf die 2 Thess 2,7 zurückgehen dürfte, nachträglich zu einem Partizip mit Artikel im Neutrum modifiziert (v6) und schließlich zu einem maskulinen Begriff präzisiert. Dadurch verblasste der Charakter der höheren göttlichen Gewalt, die in dem »Aufhalten« wirkte. Stattdessen rückte das Medium selbst, dessen die höhere göttliche Gewalt sich bediente, in den Vordergrund. Von daher wird auch die negative Auffassung von »der Aufhaltende« verständlich.

1.5 Warnung vor einer falschen Deutung der Gegenwart (2 Thess 2,1–3)

Wir bitten euch aber, Brüder, wegen der Ankunft unseres Herrn Jesus Christus und unserer Vereinigung mit ihm, dass ihr euch nicht schnell in eurem Sinn erschüttern, auch nicht erschrecken lasst, weder durch Geist noch durch Wort noch durch Brief, als seien sie von uns, als ob der Tag des Herrn da wäre. Dass niemand euch auf irgendeine Weise verführe! Denn dieser Tag kommt nicht, es sei denn, dass zuerst der Abfall gekommen und der Mensch der Gesetzlosigkeit geoffenbart worden ist, der Sohn des Verderbens [...].

---

[164] J.B. Orchard, Thessalonians and the Synoptic Gospels, Biblica 19 (1938), 19–42; C. Nicholl, Michael, the Restrainer Removed (2 Thess 2:6–7), JThS 51 (2000), 27–53.

[165] R. Mackintosh, The Antichrist of 2 Thess, Expositor 7,2 (1906), 427–432.

[166] Ch.H. Giblin, 2 Thess 2 Re-read, 459–469.

[167] Chrysostom; B. Weiss, Thess, 514; Bruce, Thess, 171.

[168] J.E. Frame, Thess, 264.

[169] Beispielsweise W. Trilling, 2 Thess, 90: »Es muß daher eine positiv gesehene Macht sein, die diese wohltätige Aufschub-Wirkung ausübt.« Oder A. Oepke, Die Briefe an die Thessalonicher, NTD 8, Göttingen 1933, 183: »Unter dem ›hemmenden‹ versteht man gewöhnlich die das Verderben noch zurückhaltende Staatsmacht.«

Der die ganze Diskussion um die Ankunft des Herrn einleitende Teil von vv1–3 lässt sich nicht mit den Ansichten des historischen Paulus vereinbaren und auch nicht aus einer Situation zu seinen Lebzeiten heraus verständlich machen. Vom 1 Thess bis zum Röm, seinem wohl letzten Brief, bleibt seine Einstellung zur Frage nach der Parusie unverändert, d.h. er war fest von einer nahe bevorstehenden Parusie überzeugt. Dies wird vor allem in Röm 13,11–14 und besonders in vv11f deutlich:

Und das tut, weil ihr die Zeit erkennt, nämlich dass die Stunde da ist, aufzustehen vom Schlaf, denn unser Heil ist jetzt näher als zu der Zeit, da wir gläubig wurden. Die Nacht ist vorgerückt, der Tag aber nahe herbeigekommen [...].

Nirgends ist hier etwas von einer Diskussion um eine bereits realisierte Parusie zu spüren. Stattdessen begegnet uns hier seine feste Überzeugung von einer nahen Parusie, die sowohl in dem nahen Anbruch des Tages, als auch in dem Ausdruck »unser Heil« deutlich wird.

Ganz ähnlich verhält es sich bei dem Thema des »Abfallens«.[170] Beim historischen Paulus findet sich nirgendwo eine Verbindung zwischen seiner Naherwartung und einem vorhergehenden Abfall.[171] Wir finden lediglich eine Ermahnung an die Gläubigen angesichts der nahen Parusie wie z.B. in Röm 13,12b–14:

[...] So lasst uns ablegen die Werke der Finsternis und anlegen die Waffen des Lichts. Lasst uns ehrbar leben wie am Tage, nicht in Fressen und Saufen, nicht in Unzucht und Ausschweifung, nicht in Hader und Eifersucht; sondern zieht an den Herrn Jesus Christus und sorgt für den Leib nicht so, dass ihr den Begierden verfallt.

Es ist daher unwahrscheinlich, dass 2 Thess 2,3bα »denn zuvor muss der Abfall kommen« auf den historischen Paulus zurückgeht.

Dagegen ist es durchaus möglich, dass v3bβ »ἀποκαλυφθῇ ὁ ἄνθρωπος τῆς ἀνομίας, ὁ υἱὸς τῆς ἀπωλείας« auf Paulus zurückgeht, wenn vielleicht auch nicht wörtlich, so doch sinngemäß. Denn erstens versteht es sich von selbst, dass Paulus, wenn er von dem Menschen, von dem in v4 die Rede ist, gesprochen hat, in irgendeiner Form die Worte »Offenbaren« bzw. »Erscheinen« oder etwas ähnliches gebraucht hat, sonst würde seiner Rede in v4 ein Prädikat fehlen, das die Sinngebung ermöglicht. Zweitens sind sowohl die Vokabel ἀνομία[172] als auch ἀπωλεία[173] Paulus nicht fremd, so dass ihre Verwendung durch Paulus vorstellbar ist. Zwar

[170] Entgegen dem allgemein akzeptierten Sinn dafür schlagen F. Danker und R. Jewett, Jesus as the Apokalyptic Benefactor in Second Thessalonians, in: Corespondance, 486–498, dort 495, die Bedeutung von ›Revolte‹ vor. V3 würde dann heißen: »[...] es sei denn, dass zuerst die Revolte gekommen ist [...].« Überzeugend ist dieser Vorschlag jedoch nicht.

[171] Vgl. W. Trilling, 2 Thess, 114; Baumgarten, Apokalyptik, 181; Oepke, Thess, 174–176.

[172] Röm 4,7; 6,19; 2Kor 6,14.

[173] Röm 9,22; Phil 1,28; 3,19.

kommen bei ihm die Ausdrücke »Mensch der Gesetzlosigkeit« oder »Sohn des Verderbens« als ganze Wendungen nicht vor, ihre Verwendung durch Paulus ist jedoch nicht unvorstellbar, wenn er überhaupt in einem bestimmten Menschen wie Claudius eine Gefahr gesehen haben sollte. Drittens steht in 1 Thess 5,3 das plötzliche Ende der Zeit mit dem Wort ὄλεθρος in Verbindung, welches »Verderben« bedeutet. Es ist auffällig, dass in 2 Thess 2,3 auch von »Verderben« hinsichtlich eines Endes der Zeit die Rede ist, auch wenn dabei ein anderes Wort verwendet wird (ἀπωλεία). D.h. in der Vorstellung von 2 Thess 2,3bβ ist durchaus ein paulinischer Bestand wiederzufinden.

1.6 Eine andere Zeitstufe (2 Thess 2,9–12)

Dessen Ankunft gemäß der Wirksamkeit des Satans erfolgt mit jeder Machttat und mit Zeichen und Wundern der Lüge und mit jedem Betrug der Ungerechtigkeit für die, welche verloren gehen, dafür, dass sie die Liebe der Wahrheit zu ihrer Rettung nicht angenommen haben. Und deshalb sendet ihnen Gott eine wirksame Kraft des Irrwahns, dass sie der Lüge glauben, damit alle gerichtet werden, die der Wahrheit nicht geglaubt, sondern Wohlgefallen gefunden haben an der Ungerechtigkeit.

Als Nächstes sind die vv9–12 zu überprüfen. Hier geht es hauptsächlich um die Parusie des Widersachers. Wir hatten bei der Strukturanalyse gesehen: Auffällig ist, dass v9 das Thema des Widersachers erneut aufgreift, obwohl es in v8 bereits abgeschlossen zu sein schien. Hinzu kommt, dass das Thema im Vergleich zu vv 4, 6 oder 8 mit größerer Ausführlichkeit behandelt wird. Dies alles ist für Trilling Grund genug, zu schreiben:

Die Beschreibung seiner Taten beginnt gleichsam von neuem, als sei von den Aktionen in v4 nicht die Rede gewesen. Auch darin wird die Uneinheitlichkeit der ganzen Passage offenkundig. [...]. Warum wurde das nicht in vv3b.4 gesagt oder angedeutet? Diese Frage ist zwar nicht zu beantworten, sie weist jedoch auch darauf hin, dass hier zwei unterschiedliche Konzeptionen nebeneinander stehen.[174]

Die genannten äußeren Eigenschaften lassen vermuten, dass vv9–12 nicht auf derselben Zeitstufe wie v6 entstanden sein können. Diese Vermutung wird einsichtiger, wenn wir berücksichtigen, dass eine ausführliche Darstellung über die Parusie eines Widersachers beim authentischen Paulus nicht zu finden ist. Ein vergleichender Blick auf vv4 und 6 sowie vv9–12 lässt eine inhaltliche Akzentverschiebung deutlich werden: in v4 und v6 geht es um die Selbstapotheose des Gesetzlosen und dessen Aufhalten, während die

[174] 2 Thess, 104. Dass hier immer neue Gedanken lose an die vorigen angefügt werden, ist für v. Dobschütz, Thess, 286, eine Art der Herangehensweise ähnlich der des Midrasch, bzw. der Arbeit von Glossatoren.

vv9–12 von seinen Auswirkungen auf Menschen handeln. Inhaltlich weist der Teil eher eine gewisse Nähe zu vv1–3 als zu vv4 und 6 auf: In beiden Fällen werden die Menschen durch das Erscheinen der Gesetzlosigkeit beeinflusst! Sie werden erschreckt und verführt. Wie dies zu erklären ist, werden wir weiter unten sehen.

1.7 Die Entstehung der eschatologischen Tradition in 2 Thess 2,1–12

Die bisherige Erörterung lässt sich durch einen Blick auf die vv1–12 als ganzen Text bestätigen. Zunächst können wir feststellen, dass es sich hier um die Ankunft des Menschen des Verderbens, ihre Verzögerung und schließlich seine Vernichtung dreht. Interessant ist dabei die beschriebene Reihenfolge des Ablaufes, die, wie unsere Strukturanalyse ergab, die temporale Reihenfolge zwei Mal umkehrt: In 2 Thess 2,3–7 wird zunächst die Ankunft des bösen Menschen und sein frevelhaftes Tun geschildert, erst nachträglich seine Verzögerung durch das Aufhaltende (als Neutrum!). In 2 Thess 2,8–12 wird zunächst die Vernichtung des Aufhaltenden (als Maskulinum!) durch den Herrn angekündigt und erst nachträglich folgt eine ausführliche Beschreibung des Gesetzlosen, als ob vorher davon nicht die Rede gewesen wäre.

Diese Beobachtungen haben wir schon als Indiz dafür gewertet, dass dieser Text nicht von vornherein einheitlich konzipiert wurde, um über die gesamten Vorgänge der Parusie des Herrn systematisch zu informieren. Denn dann wären entsprechend dem Zeitplan zuerst Informationen über das »Aufhalten« des Gesetzlosen (v6) zu erwarten, dann über dessen Beseitigung (v7), danach über das Erscheinen des Gesetzlosen (v4) samt dessen Begleiterscheinungen (v9–12) und als Höhepunkt die Ankündigung seiner Beseitigung (v8) und die Parusie des Herrn. Die jetzige Reihenfolge der Aussagen im Text dürfte nicht aus einem einheitlichen Entwurf stammen, sondern nach und nach durch Hinzufügungen entstanden sein. Die traditionsgeschichtliche Entwicklung dieser Aussagen könnte folgendermaßen ausgesehen haben:

Zunächst wurde vor der Gefahr des Auftretens des verderblichen Menschen gewarnt (v3bβ–4), wohl mit einem Hinweis auf einen damit verbundenen Abfall des Menschen, wobei die Art und Weise der Vernichtung nicht erläutert wurde (v8b). Diese Warnung musste modifiziert werden – vermutlich aufgrund einer Veränderung der Situation, die darin bestand, dass die gefürchtete Gefahr nicht eingetreten war, sondern durch die unerwartete Beseitigung der erwarteten Gefahr die akute Spannung vorläufig entschärft wurde. Diese Modifikation der Tradition wird im Text durch die metakommunikative Erinnerung an eine mündliche Lehre des Paulus eingeleitet: In diesem Zusammenhang wird das Wort »aufhalten« ins Spiel gebracht, denn die Gefahr blieb weiter bestehen und verzögerte sich nur momentan (v6). Wir hatten weiter vermutet, dass das Wort »aufhalten« zunächst als Verb einen Akt Gottes bezeichnete, dass mit der Zeit aber der dabei beteiligte menschliche Akteur immer mehr betont und hervorgehoben wurde: Aus dem aufhaltenden *Akt* wurde zunächst ein aufhaltender neutraler Faktor, dann immer mehr eine aufhaltende *Person*, die zunehmend gefährlicher dargestellt wurde (v7).

Eine weitere Entwicklung bahnte sich an, als man die von Paulus angekündigte Ankunft des Gesetzlosen gekommen glaubte (vv9–12). Die Beseitigung des Aufhaltenden musste nachgetragen werden (v7b), um den Ablauf der Ereignisse flüssiger gestalten zu können, wobei der veränderte Ruf des Aufhaltenden zum Ausdruck gebracht wurde (v7a): Ursprünglich mochte seine Tätigkeit als Rettung vor dem Ende erlebt worden sein, jetzt aber war er selbst zum Geheimnis einer in der Gegenwart wirkenden Gesetzlosigkeit geworden.

Vor allem musste man jetzt auch das Bild der letzten Geschehnisse selbst neu formulieren: Die angenommene Ankunft des Gesetzlosen wurde ihrer Aktualität entsprechend noch einmal ausführlich geschildert (vv9–12). Aus der Offenbarung des Gesetzlosen wurde erst jetzt seine »Parusie«. Sie wurde bewusst als Gegen-Parusie im Widerspruch zur Ankunft und Parusie des Herrn dargestellt. Durch diese Lehre von zwei sich widersprechenden Parusien wurde die verführerische Kraft der Gegen-Parusie hervorgehoben: Von der falschen Parusie ging eine ebenso faszinierende Kraft aus wie von der wahren Parusie des Herrn. Gott selbst hatte eine Macht der Verführung geschickt. Wahrheit und Lüge waren kaum unterscheidbar. Es kommt jetzt zur großen Prüfung derer, die die Wahrheit lieben (v10). Aus diesem Grund wurde eine Warnung bzw. Mahnung vorangestellt, die vor falschen Annahmen über einen schon geschehenen Tag des Herrn und eine schon geschehene Parusie warnt (vv1–3bα).

Die Entstehungsgeschichte der in 2 Thess 2,1–12 bearbeiteten eschatologischen Tradition könnten so verlaufen sein, auch wenn es verständlicherweise keine Sicherheit bei der Rekonstruktion der einzelnen Stadien gibt. Indizien für die Existenz eines solchen Entstehungsprozesses gibt es genug. Zu diesen Indizien gehören auch die Stichwortverbindungen unseres Textes. Besonders auffällig ist, dass solche Stichwortverbindungen oft auf v 3b zurückführen. Viele solcher Rückverweise sind in vv6ff enthalten.[175] So sind in v6 »ἀποκαλυφθῆναι (αὐτόν)«, in v7 »τῆς ἀνομίας«, und in v8 »ἀποκαλυφθήσεται ὁ ἄνομος« zu finden, die allesamt entweder wörtlich oder zumindest sinngemäß auch in v3bβ eine Rolle spielen. Auch der

[175] Vgl. auch Milligan, Thess, 103; J.E. Frame, Thess, 265.

Ausdruck »τοῖς ἀπολλυμένοις« aus v10 hat in v3bβ (τῆς ἀπωλείας) sein Pendant. Vorstellbar ist, dass im Verlauf jeder einzelnen Entwicklungsphase immer wieder auf v3b zurückgegriffen worden ist, um die neue Situation im Rahmen der vorgegebenen Tradition angemessen zu interpretieren. So ist z.B. in v6 das neue Wort »aufhalten« eng mit dem Ausdruck »seine Offenbarung« verbunden worden, in den vv7f sind die neuen Entwicklungen mit dem aus v3bβ bekannten Wort »Gesetzlosigkeit« bezeichnet worden, und auch in v10 wurde ein von dem Wort »Verderben« (v3bβ) hergeleitetes Wort verwendet, um die Anhänger des Sohnes des Verderbens zu bezeichnen. Wir hätten dann in 2 Thess 2,1–12 den Niederschlag einer mehrfach neu interpretierten Weissagung einer endzeitlichen Offenbarung des »Menschen der Gesetzlosigkeit«. Noch einmal sei betont: Die einzelnen Phasen dieser Neuinterpretation lassen sich natürlich nicht haarscharf trennen. Aber es gibt genügend Anzeichen dafür, *dass* eine Traditionsgeschichte in Form von wiederholten Reinterpretationen einer alten Tradition vorliegt.

1. Synopse der Tradition (Zeitlauf von Links nach Rechts)

Der 1. Besuch des Paulus = zur Zeit des Claudius	Der 2. Besuch des Paulus = zur Zeit des Nero	Nach neroanischer Verfolgung	Zur Zeit des Verspasian
			Vv1–3bα: Warnung vor einer realisierten Eschatologie der Gegenwart (der pseudonyme Verfasser)
V3bβ: *der Mensch der Bosheit wird offenbart werden, der Sohn des Verderbens.* (eventuell mündliche Traditon des Paulus)			
V4: Er ist der Widersacher, der sich erhebt über alles, was Gott oder Gottesdienst heißt ... (Tradition, die Paulus bei seinem 1 Besuch gebraucht haben könnte)			
			V5: Erinnert ihr euch nicht daran, dass ich euch dies sagte, als ich noch bei euch war? (der pseudonyme Verfasser mit wahrem Inhalt: Erinnerung an mündliche Tradition des Paulus)
	V6 zunächst ohne die partipiale Form (nur κατέξειν) aber später τὸ κατέξον (Paulus beim 2. Besuch/die Formulierung aber vom Verfasser)		

Vv7–(8): Wirkung des Geheimnisses der Bosheit — Beseitigung des ὁ κατέξον

(nach der neroanischen Verfolgung)

Das Beseitigen des gesetzlosen Menschen (Teil des V8) — Vernichtung des Bösen

(eventuell Paulus im Anschluss an v3bβ–4)

Vv9–12: Die Parusie und Wirkung des Antichristen

(der pseudonyme Verfasser)

2. Stichwortverbindungen

V3bβ		
ἀποκαλυφθῇ	-->	v6 τὸ ἀποκαλυφθῆναι
ὁ ἄθρωπος τῆς ἀομίας	-->	v7 (ἐνεργεῖται) τῆς ἀνομίας
	-->	v8 ἀποκαλυφθήσεται ὁ ἄνομος
ὁ υἱὸς τῆς ἀπωλείας	-->	v10 τοῖς ἀπολλυμένοις

Inwieweit sich diese Vermutung halten lässt, wird die Untersuchung des zeitgeschichtlichen Kontextes dieser Tradition und ihrer Aktualisierung im nächsten Kapitel unserer Untersuchung zeigen. Bevor wir jedoch damit beginnen, empfiehlt es sich an dieser Stelle unserer bisherigen eher diachronen Betrachtungsweise eine synchrone Lektüre des Textes hinzuzufügen. Denn der Autor letzter Hand hat den Text in seiner Endgestalt als eine sinnvolle Sequenz intendiert; und der damalige Leser orientierte sich – anders als der traditionsgeschichtlich arbeitende Exeget – nur an dieser Endgestalt.

1.8 Synchrone Betrachtung des Textes

Der Text wird mit der Bitte, sich in Bezug auf die Parusie des Herrn sowie die Vereinigung mit ihm nicht schnell erschüttern oder erschrecken zu lassen, eingeleitet. Dies wird noch einmal in v3 unterstrichen: Lasst euch von niemandem verführen in keinerlei Weise! Denn zuvor muss der Abfall kommen.

Von Bedeutung ist m.E., wie dieser Satz zu verstehen ist. In der Exegese wird dabei dem Wort πρῶτον große Aufmerksamkeit geschenkt, ohne dass dabei der Kontext angemessen berücksichtigt wird. So wird der Abfall als ein noch ausstehendes Programm verstanden, dessen Eintreten ›zuerst‹ realisiert werden muss.[177] Diese Deutung wird allerdings dem Satz nicht gerecht. Denn der Satz schließt nicht die Möglichkeit aus, dass das, was die Zeit vor dem Abfall oder die Zeit des Abfalls selbst charakterisiert, zur Abfassungszeit des Briefes bereits eingetreten ist. Dafür gibt es eine aufschlussreiche Parallele in einem anderen apokalyptischen Text: In der synoptischen Apokalypse findet sich mitten in der Weissagung von Verfolgungen eine vergleichbare Aussage über das, was ›zuerst‹ noch kommen muss, ehe das Ende eintritt: »Und das Evangelium muss zuvor (πρῶτον) gepredigt werden unter allen Völkern« (Mk 13,10). Dieses πρῶτον bezieht sich eindeutig nicht auf ein noch ausstehendes Ereignis. Denn zur Abfassungszeit des MkEv wurde das Evangelium schon allen Völkern gepredigt. Die Heidenmission war schon im Gange. Genauso wie das πρῶτον in Mk 13,10 sich auf ein gegenwärtiges Geschehen bezieht, wird sich auch das πρῶτον in 2 Thess 2,3 auf eine gegenwärtige Realität bezie-

[177] So z.B. W. Marxsen, 2 Thess, 81: »Das mit der Parole Behauptete kann schon deswegen noch nicht geschehen sein, weil vorher etwas anderes geschehen soll, das bisher aber noch gar nicht geschehen ist. Diese Argumentation ist zwingend.« Dagegen P.W. Schmiedel, Thess, 37: »πρῶτον besagt [...] nicht etwa, der Abfall müsse vor der Offenbarung des ἄνομος, sondern: er müsse zusammen mit dieser vor dem Tage des Herrn kommen.«

hen. Das aber heißt: Der hier »angekündigte« Abfall ist schon ein gegenwärtiges Ereignis.

Die Wahrscheinlichkeit dieser Möglichkeit erhöht sich, wenn man die Warnungen zuvor ernst nimmt, sich nicht schnell wankend machen oder erschrecken zu lassen und sich von niemandem in keinerlei Weise verführen zu lassen. Diese Warnungen machen auf indirektem Weg wahrscheinlich, dass es bereits Menschen gab, die verführt wurden. Diese Geschehnisse werden dann mit dem Wort »Abfall« (v3) beschrieben. Auch von daher kommt man zu dem Ergebnis: Der Abfall ist bereits im Gange.

Das wird noch deutlicher, wenn man sich klarmacht, dass es sich in v2 um die Bekämpfung einer realisierten Eschatologie, aber keineswegs um Polemik gegen eine Naheschatologie handelt. Im Zuge der Bekämpfung einer Naheschatologie ist die Vorstellung einer alternativen Naheschatologie schwer vorstellbar, denn eine Naheschatologie kann man entweder durch eine Ferneschatologie oder durch Ablehnung jeder Eschatologie überhaupt bekämpfen[177] – aus diesem Grund wurde bisher auch nicht an die Möglichkeit gedacht, dass der Verfasser des Briefes an der Naheschatologie festhalten könnte. Das ändert sich, wenn man sieht, dass er eine realisierte Eschatologie bekämpft: Um eine realisierte Eschatologie im Zaum zu halten, kann man nicht nur eine Ferneschatologie (oder eine Ablehnung jeder Eschatologie) ins Feld führen, sondern auch eine Naheschatologie. Die Botschaft des Textes ist dann: Ihr sollt euch nicht von einer realisierten Eschatologie verführen lassen, als sei der Tag des Herrn schon eingetreten, denn er ist noch nicht gekommen, aber er wird bald kommen. Darum seid nicht verzweifelt, sondern seid weiter wachsam![178]

Diese Auslegung lässt sich durch Betrachtung des weiteren Kontextes absichern:

1) In den unmittelbar folgenden Versen hört man hauptsächlich von der Offenbarung des gesetzlosen Menschen (vv3–8) bzw. von dessen Verzögerung, aber kaum vom Abfall, obwohl man dazu nähere Ausführungen erwarten könnte. Jedoch kann man in vv9–12 hinter Wörtern wie »lügenhaft« und »Verführung« die Thematik des Abfalls erkennen. Zwar scheint die Verführung nicht die Glaubenden in der Gemeinde, sondern die Nichtglaubenden außerhalb der Gemeinde zu beeindrucken. Daher könnte man fragen, ob hier weniger vom Abfall der Glaubenden die Rede ist als von einer Trennung von Glaubenden und Nichtglaubenden.

[177] So z.B. H. Koester, Eschatology, 441–458.

[178] In der lk Forschung findet sich eine ähnliche Erkenntnis bereits vor mehr als drei Jahrzehnten bei Ch. Burchard, Der dreizehnte Zeuge. Traditions- und kompositionsgeschichtliche Untersuchungen zu Lukas. Darstellung der Frühzeit des Paulus, FRLANT 103, Göttingen 1970, besonders 181–183.

Freilich lässt sich beides nicht trennen: Wenn einmal Menschen sich von einer Gemeinschaft abgewandt haben, wird hinterher oft gesagt: Sie haben im Grunde niemals zu uns gehört (z.B. 1 Joh 2,19). Ihr Abfall ist nur die Offenbarung dessen, was sie schon immer waren.

2) Stellt man nämlich »das jetzt schon wirksame Geheimnis der Gesetzlosigkeit« in v7 in einen Zusammenhang mit der Thematik der Versuchung, so wird auch hier deutlich, dass der Abfall bereits im Gange ist. Wenn das offene Hervortreten des »gesetzlosen« Menschen zum Abfall bringt (2,8ff), so wird das schon jetzt wirkende Geheimnis der Gesetzlosigkeit (2,7) die gleichen Folgen haben.

3) In v5 wird unterstrichen, dass der Apostel bereits vorausgesagt habe, was es mit dem Abfall und der Offenbarung des gesetzlosen Menschen auf sich habe. Die Bestätigung dieser Voraussage durch die Formulierung: »Erinnert ihr euch nicht daran, dass ich euch dieses sagte?« impliziert jedoch, dass eine bestimmte Zeitspanne vergangen ist. Das heißt, es ist durchaus möglich, dass in der Zwischenzeit etwas von dem damals Angekündigten, also z.B. der Abfall, eingetreten ist. Das wird verstärkt durch das Wort »nun« in v6, was ebenfalls auf eine vorübergegangene Zeitspanne hinweisen könnte[179] – das Aufhaltende wird ja als den Lesern bekannt vorausgesetzt.

4) An der schon akuten Wirksamkeit des Geheimnisses der Gesetzlosigkeit in v7 wird deutlich, dass sich die Offenbarung des Gesetzlosen bald ereignen wird. Diese Stelle zeugt für eine unmittelbare Naheschatologie, denn die beiden Bedingungen für das Kommen des Tages des Herrn werden bald erfüllt sein: Das Verzögernde ist (1) eingetreten, jetzt wird es (2) bald beseitigt. Dies wird durch eine Formulierung in v8 unterstrichen, wo durch die Satzkonstruktion – der Satz schließt als Relativsatz unmittelbar an den »gesetzlosen Menschen« an – der Eindruck vermittelt wird, dass sich die Vernichtung des Gesetzlosen gleich nach dessen Offenbarung ereignen wird. Der Tag des Herrn lässt also nicht mehr lange auf sich warten!

5) In 3,2 findet sich der Satz, οὐ γὰρ πάντων ἡ πίστις, der gewöhnlich mit: »Der Glaube ist nicht jedermanns Sache«, übersetzt wird.[180] Berück-

[179] Damit ist allerdings nicht gemeint, dass das Nun temporal zu verstehen ist. S.o.

[180] Das ist die Übersetzung, die die Mehrheit von Exegeten vertritt: z.B. P.W. Schmiedel, Thess, 45; J.E. Frame, Thess, 292; Milligan, Thess, 110, Morris, Thess, 246; Bruce, Thess, 198; v. Dobschütz, Thess, 306.

sichtigt man allerdings den unmittelbar folgenden Satz und dessen Anfangswort, dann ist es unmöglich, das Wort πίστις mit Glauben zu übersetzen. Sprachlich näher liegt vielmehr die Bedeutung »Treue«: »Denn die Treue ist nicht jedermanns Sache. Treu ist aber der Herr [...].« Akzeptiert man diese Übersetzung, haben wir hier wiederum ein Indiz dafür, dass der Abfall bereits eingetreten ist, nämlich der Abfall von Menschen, die in der Gegenwart untreu werden.[181] Der Autor des 2 Thess hat an dieser Stelle wohl seine Gemeindesituation in die Situation des Paulus hineinprojiziert.

Exkurs II: Nero (redivivus/rediturus) als Widersacher?

G.H. v. Kooten hat neulich eine weiterführende These aufgestellt, die eine Alternative zu unserer eigenen, im Folgenden entfalteten These darstellt.[182] Es ist daher angebracht, seine These ausführlich zu erörtern, bevor wir unsere vorstellen. Nach v. Kooten ist der Widersacher, von dem in 2 Thess 2 die Rede ist, Nero redivivus, oder, wie er vorzieht zu sagen, Nero »rediturus« (rediturus deswegen, weil die meisten Menschen damals nicht von seinen Tod überzeugt waren, sondern nur glaubten, dass er plötzlich verschwunden war, so dass sein erwartete Wiederkehr keine Wiederbelebung, sondern nur eine Wiederkunft darstellte). Der Ausgangspunkt der These v. Kootens ist das 5. Buch der Sibyllinischen Orakel (OrSib 5,363–374), wo von Zorn auf dem Boden Makedonens bei dem Wiederkehr Neros gesprochen wird:

A man who is a matricide will come from the ends of the earth in flight [...]. He will immediately seize the one because of whom he himself perished. [...] There will come upon men a great war from the West. Blood will flow up to the bank of deep-eddying rivers. Wrath will drip in the plains of Macedonia, an alliance to the people from the West, but destruction for the king.[183]

Makedonien ist nach v. Kooten der gemeinsame Nenner von 2 Thess, wo das Auftreten eines Widersachers erwartet wird, und die Erwartung des Nero »rediturus«, die auch in anderen Schriften wie Dio Cassius (LXII

---

[181] Lehnt man aber diese Übersetzung ab und nimmt stattdessen die von »Glaube« an, so hat man hier ein Indiz für die Mission, die von den Gemeinde(n) des Verfassers getätigt worden sein könnte.

[182] »Wrath will drip in the plains of macedonia«. Expectations of Nero's return in the Egyptian sibylline oracles (book 5), 2 Thessalonians, and ancient historical writings, in: A. Hilhorst/G.H. van Kooten, The Wisdom of Egypt. Jewish, Early Christian, and Gnostic Essays in Honor of Gerald P. Luttikhuizen, AJECh 59, Brill 2005, 177–215.

[183] Zitiert nach v. Kooten, Wrath, 184.

18,4–5) bezeugt ist. Darauf basierend deutet v. Kooten folgende fünf Aussagen in 2 Thess 2,1–12 auf den »Nero redituruṣ«:

1) Was den »MVorgeschichte der eschatologischen Traditionenschen der Gesetzwidrigkeit« angeht, so ist die Gesetzlosigkeit Neros in den antiken Quellen gut belegt. Bei Philostratos ist er »an example of the impetuous disposition which does not trouble about legal forms« (Das Leben des Apollonius von Tyana 5,7). In dieselbe Richtung geht die Feststellung bei Dio Chrysostomos: »Take Nero for instance. We all know how in our own time he not only castrated the youth whom he loved, but also changed his name for all woman's.« (Discourses 21,6).[184]

2) Was »den Sohn des Verderbens« angeht, so lassen sich Neros zerstörerische Neigungen bzw. Tätigkeiten aus den antiken Quellen gut belegen: Nach Sueton war Nero für die Brandstiftung in Rom verantwortlich (Nero 38,1–2), nach Tacitus sang er auf seiner privaten Bühne von der Zerstörung Trojas, als Rom in Flammen aufging (Ann. 15,39). Nach Dio Cassius beschränkte sich Neros zerstörerische Neigung nicht nur auf Rom sondern erstreckte sich auf das ganze Reich, wollte er ihm doch noch während seiner Lebenszeit ein Ende setzen (LXII 16); Neros Vernichtungstrieb richtete sich aber auch gegen viele einzelnen Menschen. Zu seinen Opfern gehörten angesehene Philosophen, Dichter und Senatoren wie Seneca, Lucan, Thrasea, unter seinen Opfern sind auch die Christen, die verfolgt und auf grausame Weise gefoltert und getötet wurden.[185]

3) Die Aussage in 1 Thess 2,4 über den Widersacher, der sich über alles erhebt, was Gott oder Heiligtum heißt, der sich in den Tempel Gottes setzt und vorgibt, er sei Gott, enthält drei Elemente: eine Rücksichtslosig keit gegenüber bestehenden Kulten, eine kultische Selbstinthronisierung und eine Selbstüberschätzung durch Selbstapotheose. Alle drei Züge finden sich auch in den Quellen über Nero:
   a) Die Verletzung kultischer Pietät gegenüber traditionellen Heiligtümern ist gut belegt: Nach Sueton verachtete Nero »all cults, with the sole exception of that of the Syrian Goddess« (Nero 56), nach Tacitus entheiligte er Aqua Marcia, indem er dort schwamm (Ann. 14,22), und wiederum nach Sueton schrak Nero nicht davor zurück, goldene und silberne Statuen aus vielen Tempeln zu entwenden, um sein extravagantes Leben zu finanzieren (Nero 32,4).[186]

---

[184] v. Kooten, Wrath, 188f.
[185] v. Kooten, Wrath, 189–192.
[186] v. Kooten, Wrath, 193–195.

b) Für die Aussage, dass sich der Widersacher selbst in Gottes Tempel inthronisiert, findet v. Kooten folgende Analogien im Verhalten Neros: Nach Sueton haben einige Astrologen Nero nach seinem Weggang die Herrschaft über den Osten zugesprochen, einige wenige aber auch die Herrschaft über Jerusalem (Nero 40,2). Letzteres soll nach v. Kooten mit »enthroning in God's temple« identisch sein.[187]

c) Ferner gibt es auch Belege dafür, dass er beanspruchte, ein »Gott zu sein«: Nero wurde oft als göttlich gepriesen, wenn er Musik oder Theater spielte, wie Sueton (Nero 21,3), Tacitus (Ann. 14,15) und Dio Cassius (LXI 20,4–5) berichten. Es ist sogar zu lesen, dass einige unter anderem deswegen bestraft wurden, weil sie der göttlichen Stimme Neros nicht opferten (Dio, LXI 20,4; Tacitus, Ann. 16,21–22; Philostratos, Das Leben des Apollonius von Tyana, 4,39). Daraus sei zu erschließen, dass Nero selbst beanspruchte, göttlich zu sein, was durch OrSib 5,33–34 untermauert wird. Dort heißt es von Nero, er wolle zurückkehren, »declaring himself equal to God. But he will prove that he is not.«

4) Der Widersacher wird nach 2 Thess 2,9 mit »großer Macht auftreten und trügerische Zeichen und Wunder tun«: Im Lauf seines Lebens wurde Nero von vielen Zeichen und Orakeln begleitet, wie z.B. Dio Cassius berichtet: »The following signs had occured indicating that Nero should one day be sovereign. At his birth just before dawn rays not cast by any visible beam of the sun enveloped him. And a certain astrologer, from this fact and from the motion of the stars at that time and their relation to one another, prophesied two things at once concerning him – that he should rule and that he should murder his mother.« (LXI 2,1).

5) Auch für die aufhaltende Macht oder die aufhaltende Person gibt es Anhaltspunkte bei Nero: Da die Erwartung eines Nero »rediturus« frühestens nach seinem Tod bzw. nach seinem Verschwinden und nur bis zur Proklamation Vespasians als Kaiser vorstellbar sei, sei unter dem aufhaltenden Hindernis für die Rückkehr Neros das zu verstehen, was zugleich Auslöser für den Fall seiner Herrschaft war: die Aufstände von Julius Vindex in Gaul und Galba in Spanien (wobei Vindex und Galba zusammen das Neutrum »das Zurückhaltende« und Galba für sich im Maskulinum »den Zurückhaltenden« darstellt). Dies wird dadurch untermauert, dass das griechische Wort ἀποστασία den politischen Sinn von »Rebellion« haben kann, und in der Tat wurden die Rebellionen von Vindex und Galba mit dem gleichen Wort bzw. dem gleichen Wortstamm bezeichnet (»ἀποστῆναί« Dio, LXIII 22,2–3; »ἀποστασία« Plutarch, Galba 1,5).

[187] v. Kooten, Wrath, 195–198.

Obwohl es sich bei der These van Kootens um eine bestechende Analyse handelt, die sich in der Methodik der zeitgeschichtlichen Deutung von 2 Thess 2 mit der hier vorgelegten Deutung berührt, ist sie m.E. aus folgenden Gründen unwahrscheinlich:

1) Seine These vermag kaum die von uns beobachtete auffällige Reihenfolge in der Darstellung der Geschehenisse zu erklären: Warum beginnt die Beschreibung des Widersachers in vv9ff aufs Neue? Warum spricht der Text erst in vv6f und nicht schon in v3 vom Aufhalten? Wäre tatsächlich der in 2 Thess 2 erwähnte Widersacher Nero »rediturus« und die Lehre über ihn ganz aktuell – befände man sich also in der Zeit zwischen Verschwinden Neros und der Proklamation Vespasians –, so hätte der Text ohne eine so konfuse Darstellung seine Botschaft vermitteln können. Es sei hier an all das erinnert, was wir oben im Abschnitt »Entstehung der eschatologischen Tradition in 2 Thess 2,1–12« erörtert haben.

2) Es ist unwahrscheinlich, dass der »Mensch der Gesetzlosigkeit« einen ganz allgemeinen und keinen speziell religiösen Sinn hat. Für einen religiösen Sinn des Ausdrucks sprechen folgende Argumente:
   a) Der appositionelle Ausdruck »der Sohn des Verderbens« ist ein Hebraismus[188] und verrät eine jüdische Sichtweise, so dass der Sinn des Ausdrucks eher im religiösen Bereich zu suchen ist.
   b) Unmittelbar danach wird in v4 von Entheiligung des Jerusalemer Tempels, also von einer (anti)religiösen Handlung, gesprochen wird.

3) Nicht nur das Leben des Kaisers Nero, sondern auch das anderer Kaiser wurde durch Orakel und Zeichen begleitet, so dass solche Zeichen und Wunder kaum für Nero spezifisch sein können. Wie wir im folgenden sehen werden, wurde auch Vespasian mit vielen Wundergerüchten und Wundergeschichten umhüllt.

4) Es ist wenig verständlich, dass die Nachricht des Todes Neros gerade in Thessaloniki, der Hauptstadt Makedoniens und dem Verkehrsknoten zwischen Rom und dem Osten auf der Via Egnatia, unbekannt geblieben bzw. im Sinne eines plötzlichen Verschwundenseins missverstanden worden sein soll. Vorstellbar wäre dort wohl die Erwartung, dass ein Nero »redivivus« eventuell erscheinen würde (daher ist der von van Kooten vorgeschlagene Name »rediturus« m.E. wenig sinnvoll). Allerdings wird man sich diese Erwartung nicht unmittelbar nach dem Aufstand des Vindex bzw. nach der Proklamation des Galba vorstellen dürfen, sondern

[188] Vgl. E. v. Dobschütz, Thess, 273.

erst in der Zeit, als Galba mit einer neuen Herausforderung durch Otto konfrontiert wurde. Denn, wie die Einstellung der Flavier gegenüber Galba zeigte – Titus war zunächst unterwegs zu Galba, um von ihm adoptiert zu werden –, suchte man sich in Makedonien auf den neuen Kaiser einzustellen, anstatt den Staatsfeind Nero wieder herbeizuwünschen. Die Erschütterung der Herrschaft Galbas dürfte wohl die eigentliche Ursache der Erwartung eines Nero redivivus gewesen sein. Wenig wahrscheinlich ist, dass Vindex bzw. Galba das »Aufhaltende« gewesen seien.

5) Makedonien gehörte seit der pax romana des Augustus nicht mehr zu jener Gefahrenzone, in der ständig Grenzstreitigkeiten mit Nachbarvölkern drohten. Die Wahrscheinlichkeit eines Bürgerkriegs auf dem Boden Makedoniens dürfte daher z.Z. des Nero sowie nach seinem Tod von den dortigen Einwohnern nicht sehr hoch eingeschätzt worden sein. D.h. in Makedonien dürfte eine Erwartung des Nero redivivus oder rediturus, anders als v. Kooten es für wahrscheinlich hält, wenig Einfluss gehabt haben, selbst wenn eine solche dort bekannt gewesen wäre.

6) Schließlich stellt sich die These v. Kootens als problematisch heraus, wenn man fragt, wie sich die Erwartung des Nero »rediturus« zur Ankunft des Tages des Herrn verhält: Das Auftreten des Widersachers muss etwas mit dem falsch verstandenen Tag des Herrn zu tun haben. Dieser Zusammenhang wird von v. Kooten nicht behandelt.

Exkurs III: Das Imperium Romanum und dessen Kaiser als Katechon?

Eine weitere alternative These stellte P. Metzger mit seiner 2005 veröffentlichten Dissertation: *Katechon. II Thess 2,1–12 im Horizont apokalyptischen Denkens* in jüngster Zeit vor. Wie der Zusatztitel des Buches vermuten lässt, versucht Metzger das Katechon im 2 Thess in apokalyptischen Vorstellungshorizonten zu verorten und dadurch herauszufinden, was damit konkret gemeint ist. Er geht dabei methodisch nicht begriffsgeschichtlich vor, weil der zugrundeliegende Begriff κατέχω »vielseitig zu verwenden war und durch verschiedene Kontexte unterschiedlich inhaltlich bestimmt wurde«,[189] d.h. es handelt sich nach Metzger hierbei nicht um einen geprägten Begriff. »Den Text einem bestimmten Traditionsstrom zuzuordnen« ist nach Metzger auch nicht möglich, weil »die apokalyptischen Topoi des II Thess zu unspezifisch sind«.[190] In der Ansicht aber, »dass der Autor des II

[189] P. Metzger, Katechon. II Thess 2,1–12 im Horizont apokalyptischen Denkens, Berlin u.a. 2005, 9.
[190] Ebd. 11.

Thess mit der Rede vom Katechon etwas im Blick hatte, das den Rezipienten seines Schreibens geläufig war, ohne dass der Begriff ein traditionelles Motiv bezeichnete«,[191] sucht Metzger zunächst durch einen phänomenologischen Vergleich aufzuweisen, »dass es sich bei der Figur des Katechon überhaupt um ein Motiv handelt, dessen Erwähnung bestimmte Assoziationen bei den Rezipienten weckt«.[192] Dabei ist von Bedeutung, »dass dem Katechon als Figur eine bestimmte Bedeutung und Funktion innerhalb eines apokalyptischen Szenariums zukommt – das Aufhalten des Endes«.[193] »Dieser Kontext bestimmt« so Metzger, »die Bedeutung des Begriffs Katechon maßgeblich und legt so zugleich die Kriterien fest, anhand derer andere Texte zu vergleichen sind, um die inhaltliche Füllung zu präzisieren«.[194]

Von diesen methodischen Überlegungen ausgehend untersucht Metzger apokalyptische Texte aus der Umwelt des 2 Thess und arbeitet in ihnen sieben »das Ende determinierende und zugleich retardierende Faktoren« heraus, »die alle der Struktur nach die gleiche Funktion wie das Katechon in II Thess 2 ausüben und deshalb für dessen inhaltliche Deutung in Betracht kommen: 1. die prädestinierte Vollzahl (Apk; IV Esr, syrBar); 2. die festgelegte Zeit (II Petr, IV Esr, syrBar, Qumran); 3. Gott bzw. seine Langmut (IV Esr, syrBar, Qumran); 4. die Suche nach dem Würdigen (Apk); 5. die ausbleibende Buße (IV Esr, bSan 97b); 6. der, der aufhält (LAB); 7. Rom (Apk, IV Esr)«.[195]

Angesichts dieses Ertrags stellt Metzger fest, 1) dass das Katechon keine von Paulus selbst erfundene Figur ist, sondern »durchaus in der Zeit des Autors des II Thess bekannt gewesen sein kann«,[196] 2) dass von den sieben Faktoren der letztgenannte Faktor, also Rom, für die Bestimmung des Katechon besonders relevant ist, weil Rom zu den in 2 Thess vorgegebenen Bedingungen am besten passt, und zwar aufgrund von Personalfassbarkeit (daher wird von »dem Aufhaltenden« als Person gesprochen), aufgrund der Erklärbarkeit des eigenartigen Genuswechsels vom Neutrum ins Maskulinum sowie aufgrund der kryptischen Redeweise, die für uneingeweihte Leser unverständlich sein soll, schließlich aufgrund der negativen Bewertung der Erscheinung: Die Ankunft des Herrn wird durch den Katechon aufgehalten.[197] All diese Bedingungen sind nach Metzger zugleich Gründe für seine Ablehnung der in der Forschung bisher vorgeschlagenen Lösungsmöglichkeiten für Katechon wie z.B. seine Deutung auf den Heiligen Geist, auf die

[191] Ebd. 9.
[192] Ebd. 12.
[193] Ebd.
[194] Ebd.
[195] Ebd. 276.
[196] Ebd.
[197] Ebd. 277–282.

christliche Verkündigung, auf Gott selbst, auf eine Engelsmacht oder auf Paulus selbst.[198]

Um seine These zu untermauern erklärt Metzger, wie das Imperium Romanum und dessen Repräsentant, der Kaiser, die folgenden fünf weiteren Bedingungen, die in 2 Thess noch zu beobachten sind, erfüllen: 1. »κατέχον und κατέχων verhalten sich zueinander wie Macht und Repräsentant der Macht«. 2. »Das Katechon ist ein gegenwärtiger Faktor der Weltgeschichte, der dem μυστήριον τῆς ἀνομίας und damit letzlich dem ἄνοος gegenübersteht.« 3. »Das Katechon ist menschlich und dämonisch zugleich.« 4. »Das Katechon ist eine negative Macht, die letztlich die Parusie Christi aufhält und die Gemeinde in der Gegenwart nicht beschützt.« 5. »Das Katechon ist ein Faktor in Gottes Plan, dem von Gott seine Frist gesetzt wird.«[199]

Es ist Metzgers großes Verdienst, durch motivisch-phänomenologischen Vergleich die Nähe der Katechon-Vorstellung des 2 Thess mit der Vorstellungswelt von IV Esr sowie Apk aufzuzeigen. Seine These unterstützt sogar unsere insofern, als sie den Katechon auf den römischen Kaiser deutet. Allerdings ist zu seiner Erörterung Folgendes kritisch anzumerken:

Wie wir bereits oben bei unserer Texterörterung beobachtet haben, weist der 2 Thess hinsichtlich des Katechon eine diachronische Entwicklung auf, so dass nicht die jetzige Endfassung allein, sondern ihre ganze Vorgeschichte in die Betrachtung mit einbezogen werden muss. Metzger geht aber auf die Vor– und Entstehungsgeschichte des Textes nicht ein und konzentriert sich ganz auf die synchronische Dimension des Textes. Es ist daher zu bedauern, dass Metzger in seiner Erörterung über das Katechon nur das Imperium Romanum allein berücksichtigt, obwohl er den retardierenden Faktor Gott bzw. Gottes Vorsehung aus der zum Vergleich herangezogenen Literatur herausgearbeitet hat. Wenn unsere bisherige Ansicht zutreffen sollte, steht die paulinische Anwendung des Wortes κατέχειν in einer Strömung, die auch in IV Esr, syrBar und Qumran zu beobachten ist, wo Gott als retardierender Faktor zu beobachten ist.

Es ist daher nicht zutreffend, wenn Metzger κατέχον und κατέχων als Macht und Repräsentanten der Macht erklärt. Der Wechsel im Genus weist vielmehr auf eine geschichtliche Entwicklung hin. Bei dieser Entwicklung ist es kein großer Schritt gewesen, im Rahmen der göttlichen Vorsehung eine negative Figur ins Leben zu rufen und agieren zu lassen. D.h. aus der ursprünglich positiv gedachten Tat des Aufhaltens lässt sich ohne große Schwierigkeit eine negativ agierende Figur entwickeln.[200]

---

[198] Ebd.

[199] Ebd. 287–289.

[200] Metzger sieht das anders: »Von Tertullian an ignoriert die staatstheologische Katechon-Deutung den negativen Charakter des Katechon deshalb, weil das Gericht zunehmend als schreck-

Sowohl IV Esr als auch Apk, deren retadierende Faktoren Metzger für relevant für das Verständnis des 2 Thess hält, stammen aus dem Ende des 1 Jh. n.Chr. Es ist nicht auszuschließen, dass ihre Vorstellungen von den retardierenden Faktoren vom Katechon des 2 Thess beeinflusst worden sind, falls der 2 Thess in den 70er Jahren entstanden ist, wie wir vermuten.

Eine weitere kritische Anfrage an Metzgers insgesamt weiterführende Analyse zielt darauf, warum Metzger sich nur auf das bzw. den Katechon konzentriert und den Sohn des Verderbens nicht in seine Analyse einbezieht, obwohl dieser auch ein das „Ende determinierender Faktor" und somit für seinen motivisch-phänomenologischen Vergleich relevant ist.

Daher stellen wir im nächsten Kapitel eine Alternative zu seiner Deutung vor, die mit Metzger nach einem zeitgeschichtlichen Hintergrund der apokalyptischen Aussagen in 2 Thess fragt und dabei politische Größen und Ereignisse im Blick hat.

2. Gegenwartsgeschichte in der eschatologischen Tradition in 2 Thess 2,1–12

Nachdem wir festgestellt haben, welche Bestandteile aus 2 Thess 2,1–12 auf mündliche Tradition des Paulus zurückgehen könnten, ist nun vor allem die Frage zu stellen, warum die mündliche Tradition des Paulus niedergeschrieben wurde. Allein um der Überlieferung willen oder aus praktischen Gründen? Sie muss wohl von jemandem aufgeschrieben worden sein, der Paulus nahe stand und sich ihm verpflichtet fühlte.[201] Allerdings ist dabei das Motiv nicht ganz klar. Es ist zwar nicht auszuschließen, dass eine mündliche Tradition nur um der Überlieferung willen niedergeschrieben wird, aber plausibler ist es anzunehmen, dass sie eine Hilfe für die Bewältigung gegenwärtiger Probleme bieten konnte. Dies dürfte bei der paulinischen Tradition in 2 Thess 2,3–6 nicht anders gewesen sein. Da es in der mündlichen Tradition um eine Gefahr geht, kann man annehmen, dass entweder eine ähnliche Gefahr aufgetreten war oder kurz bevorstand. Ob das wahrscheinlich ist, gilt es nun zu prüfen.

---

liches Ereignis wahrgenommen wurde. Weil bereits die Auslegungen der Alten Kirche nicht festhalten, dass das Gericht für die Gemeinde des II Thess ein Hoffnungsgut darstellte und deshalb sehnlich erwartet wurde (vgl. Apk 6,9–11; syrBar 21,23–25), ist es nicht verwunderlich, dass das Katechon zu einem positiven Faktor wurde.« (291).

[201] Vgl. Theißen, Das Neue Testament, 81–85.

2.1 Eine gegenwärtige Gefahr? (2 Thess 2,9–12)

Zunächst ist unser Augenmerk auf die vv9–12 zu richten. Es ist auffallend, dass hier im Vergleich zu vv4, 6 oder 8 mit großer Ausführlichkeit auf eine Gefahr hingewiesen wird. Noch auffälliger ist, dass das Thema »Widersacher« (der Ausdruck wird allerdings nicht explizit verwendet) in vv9f wiederholt aufgegriffen wird, obwohl es bereits in dem Abschnitt v3 und v8 abgehandelt wurde. Angesichts dieser Auffälligkeit wird man die Vermutung äußern können, dass vv9–12 die oben postulierte gegenwärtige Gefahr bezeichnen könnte.

Allerdings enthält der Text vv9–12 für diese Auslegung ein Problem: Die Aussagen wirken aufgrund des vorhergehenden Satzes mit drei futurischen Verben ἀποκαλυφθήσεται, ἀνελεῖ und καταργήσει in v8 sachlich als futurische Aussagen, obwohl das grammatikalische Tempus der Aussagen in vv9–12 wiederum eindeutig präsentisch ist, wie das ἔστιν in v9 und πέμπει in v11 zeigen. Beziehen sie sich also nicht auf zukünftige Ereignisse?

Wenn man allerdings bedenkt, dass in der mündlichen Tradition des Paulus (vv4.6f) die Aussage, dass das Aufhalten der Offenbarung des Gesetzlosen noch andauern wird (v6), im Partizip Präsens (κατέχον) gemacht wird, dann ist es nur natürlich, dass die v6 weiterführenden Aussagen nicht in präsentischer Form, sondern in futurischer Form gemacht werden, selbst wenn sie in der Gegenwart des Verfassers bereits in Erfüllung gegangen sind. Dies gilt vor allem für v8, der mit drei futurischen Verben die Aussage aus v6 weiterführt. *Stilistische Konformität* erklärt an dieser Stelle den Wechsel vom Präsens zum Futur. Es empfiehlt sich daher, die futurischen Tempora in v8 nicht als rein futurisch aufzufassen, sondern differenzierter zu beurteilen, d.h. sie eventuell sachlich auf die Gegenwart oder sogar auf die nahe Vergangenheit zu deuten. Das heißt aber konkret, dass sich das erste Futur in v8, dass der Gesetzlose offenbart werden wird (ἀποκαλυφθήσεται), eventuell in der Sache präsentisch auffassen lässt. Der Gesetzlose wird jetzt offenbart! Das zweite und dritte Futur (ἀνελεῖ und καταργήσει) lassen sich dagegen aufgrund ihres Inhalts schwerlich präsentisch verstehen: Die Vernichtung des Gesetzlosen durch den Herrn Jesus kann noch nicht vollendet sein!

Auf die ursprünglichen Leser wirkte die stilistische Konformität wie eine Prophetie des Paulus, die sich erst in ihrer Gegenwart zu erfüllen begann. Denn der Apostel war bereits tot (s.o.).

Da aber der Verfasser in den v9ff mit einer erneuten, ausführlichen Beschreibung des Gesetzlosen begann, obwohl dessen Vernichtung bereits in v8 besprochen wurde, dürfte er es nicht länger für notwendig gehalten haben, die stilistische Konformität durchzuhalten. Er verlässt die futurischen

Verbformen. Allerdings formuliert er in vv9ff nicht sofort in der Vergangenheit, wie es an manchen Stellen passend wäre – z.B. »dessen Parusie *war* (statt *ist*) in der Macht des Satans [...]«, sondern er geht ins Präsens über. Denn auch das Präsens wirkt sich hier in Analogie zum Futur futurisch aus. Damit wird der Anschein der Prophetie beibehalten. Die Auswahl des Präsens aber gibt zu erkennen, an welcher Stelle der Zeit für den Verfasser die Parusie des Gesetzlosen lag: Sie ist ein Geschehen in der Gegenwart![202]

Für diese Auslegung sprechen auch formgeschichtliche Beobachtungen. Es handelt sich hier um eine Apokalypse. In einer Apokalypse findet sich oft gegenwärtiges Geschehen in Form einer zukünftigen Prophetie. Ph. Vielhauer und G. Strecker beschreiben das so:

> Mit der Fiktion der Vorzeitigkeit hängt es zusammen, dass die Apokalyptiker häufig die Geschichte der Vergangenheit bis auf ihre Gegenwart in Form von Weissagungen darstellen. Immer folgt darauf eine Weissagung des Endes, auf der das Schwergewicht liegt. Denn die Gegenwart des wirklichen (nicht des fiktiven) Autors ist immer die letzte Zeit.[203]

Beispielsweise bringt der Evangelist Markus in seiner sogenannten synoptischen Apokalypse folgende Weissagung im Futur:

> Und wenn dann jemand zu euch sagt: Siehe, hier ist der Christus! Siehe dort! so glaubt nicht. Es werden aber falsche Christusse und falsche Propheten aufstehen und werden Zeichen und Wunder tun, um, wenn möglich, die Auserwählten zu verführen. Ihr aber, seht zu! Ich habe euch alles vorhergesagt. (Mk 13,21–23)

Es geht sicherlich um die Gegenwartssituation des Evangelisten, nämlich um Gerüchte über den Weltherrscher aus dem Osten.[204] Diese Erwartung aber wird hier in Form einer Prophetie Jesu zum Ausdruck gebracht.

Ein weiteres Indiz für die eventuell prophetische Auffassung von vv9ff ist die Beobachtung, dass in apokalyptischer Literatur gewöhnlich eine der großen Figuren der Vergangenheit über die gegenwärtige Lage spricht,[205] z.B. Henoch, Esra oder Mose. Dass in der apokalyptischen Rede im 2 Thess 2 aber keine solche Figur, sondern Paulus selbst spricht, besagt vielleicht indirekt, dass in der Gegenwart des Verfassers des 2 Thess Paulus bereits als eine Vergangenheitsgröße betrachtet wird, deren Autorität zur Lösung der gegenwärtigen Lage hilfreich sein kann.

M.E. lassen sich einige Indizien dafür sammeln, dass Paulus aus der Blickrichtung des Autors als eine Größe der Vergangenheit betrachtet wird:

---

[202] Für Morris, Thess, 231 Anm. 36, bedeutet aber die Wahl des Präsens die Gewissheit des Kommens der Parusie.

[203] Ph. Vielhauer/G. Strecker, Einleitung, in: W. Schneemelcher (Hg.), Neutestamentliche Apokryphen II. Apostolische Apokalypsen und Verwandtes, Tübingen 1989, 491–547, dort 495.

[204] Siehe G. Theißen, Gospelwriting, 16–28 und 55–63.

[205] Vgl. G. Holland, Letter, 401; F. Laub, Paulinische Autorität, 403–417.

In 2 Thess 1,4 begegnet uns eine etwas anstößig wirkende Äußerung des Paulus: »Wir rühmen uns selbst wegen euch [...]«. Diese Äußerung stellt nach Trilling »ein peinlich wirkendes Selbstlob«[206] dar und wird nur verständlich, wenn wir nicht mit einer authentischen Äußerung des historischen Paulus rechnen. Vielmehr ist dieses vermeintliche »Selbstlob« als Äußerung eines seiner Schüler zu betrachten, für die Paulus in der Zwischenzeit eine rühmenswerte Größe der Vergangenheit geworden ist und die sich dieses Selbstlobes nicht bewusst sind.[207] Genauso verhält es sich in 2 Thess 3,9, wo der fiktive Paulus sagt, Zweck seines Verhaltens sei, dass ihn die Gemeinde nachahme. Zwar hat der historische Paulus in 1 Kor 4,16; 11,1; Phil 4,9 seine Gemeinde zum Nachahmen ermahnt, aber nirgends erklärt er diese Nachahmung explizit zum Zweck seines Verhaltens. Offensichtlich haben wir es auch hier mit der Blickrichtung eines Späteren zu tun, der Paulus unbewusst als Vergangenheitsgröße betrachtet. Da Paulus mittlerweile eine Autorität geworden war, gilt jede seiner Verhaltensweisen aus seinen Lebzeiten als nachahmungswürdig. Zuletzt ist auch 2 Thess 3,17 zu nennen, wo die paulinische Handschrift als Garant der Authentizität erwähnt wird. Das Fehlen solch einer Unterschrift in den authentischen Paulusbriefen deutet indirekt an, zu welcher Autorität Paulus mittlerweile für die Leser und somit auch für den Autor geworden ist: Allein seine Handschrift reicht aus, die Authentizität eines pseudonymen Briefes zu gewähren.

Besteht also die Möglichkeit, vv9–12 auf die Gegenwart der Leser zu beziehen,[208] so fragt man sich, wer der gegenwärtige Gesetzlose gewesen sein könnte.

2.2 Vespasian – der Antichrist?

Bezieht sich die mündliche Tradition des Paulus in v4 auf die Krise mit Caligula, so sind die Rahmenbedingungen zur Näherbestimmung des Gesetzlosen schon vorgegeben: Es sollte sich um einen römischen Kaiser handeln, der eine Gefahr für den Tempel darstellte, auf welche Weise auch immer sich diese Gefahr konkretisierte.

[206] W. Trilling, 2 Thess, 46.

[207] Anders bei den Exegeten, die den 2 Thess als echten Brief ansehen: z.B. Malherbe, Thess, 385f. Für ihn ist die wahrscheinlichste Möglichkeit, »that he [Paulus s.c.] contrasts his boasting, to the Thessalonians' reluctance to speak about themselves, because they felt they were not worthy of being boasted about«.

[208] So ähnlich sah diesen Sachverhalt bereits M. Crüsemann, Der zweite Brief an die Gemeinde in Thessalonich. Hoffen auf das gerechte Gericht Gottes, in: L. Schoffroff/M.-Th. Wacker (Hg.), Kompendium Feministische Bibelauslegung, Gütersloh ^{2}1999, 653–660. Erst nachträglich habe ich entdeckt, dass sie in diesem Punkt zu derselben Idee gekommen ist wie ich. Die Lektüre ihres Artikels war für mich eine wichtige Bestätigung.

Zu diesen Bedingungen passt besonders ein Kaiser bzw. seine ganze Familie hervorragend: der Flavier Vespasian! Die Flavier stellten in der Zeit um 70 n.Chr. für die Juden eine gefährliche Bedrohung des Tempels in Jerusalem dar, sie hatten die Aufstände in Judäa mit brutaler Gewalt niedergeschlagen, die Eroberung der Stadt Jerusalem stand bevor. Es kursierte das Gerücht, dass die Flavier bzw. Vespasian der prophezeite Weltherrscher aus dem Osten sei.[209] Schließlich zerstörten sie den Tempel in Jerusalem.[210] Das war der erste außenpolitische Erfolg des Flavier-Kaisertums. Dass dieser Erfolg im gesamten römischen Reich umso feierlicher propagiert wurde, versteht sich von selbst.[211] Dementsprechend war der Triumphzug durch Rom über alle Maßen feierlich gestaltet. Im Verlauf dieses Zuges wurden die Tempelschätze aus Jerusalem – der goldene Schaubrottisch, der Siebenarmige Leuchter, die Purpurvorhänge des Allerheiligsten – als Kriegsbeute gezeigt.[212] Die Ohnmacht des jüdischen Gottes wurde dadurch in aller Öffentlichkeit zur Schau gestellt. Dass dies die Juden (und auch die Christen) inner- und außerhalb der Stadt Rom tief getroffen hat,[213] liegt auf der Hand. Für die Juden hatten sich die Flavier an die Stelle des jüdischen Gottes gesetzt!

Der Anspruch der Flavier selbst musste sich nicht unbedingt mit dem decken, was die Juden damals als Anspruch wahrnahmen. Für uns ist entscheidend, wie dieser Anspruch erlebt wurde. Hier kann man sagen, dass die Flavier in den Augen der unterworfenen Juden in der Tat die überlegene Stellung des jüdischen Gottes nicht anerkannten. Das zeigt sich am deutlichsten in der totalen Zerstörung des Jerusalemer Tempels durch Titus. Er errichtete vorrübergehend an seiner Stelle ein sogenanntes Fahnenheiligtum und ließ alle Tempelgebäude schleifen.[214] Die Botschaft war folgende: Der jüdische Gott war besiegt worden und nun herrschte dort das römische

---

[209] Vgl. H. Schwier, Tempel und Tempelzerstörung. Untersuchungen zu den theologischen und ideologischen Faktoren im ersten jüdisch-römischen Krieg (66–74), Freiburg (Schweiz) u.a. 1989, 293–307; K. Scott, The Imperial Cult under Flavians, Stuttgart u.a. 1936, 1–19.

[210] Bereits J. Wettstein hat in seinem Novum Testamentum Graecum, Tomus II, Graz-Austrai 1962 (unveränderter Abdruck der 1752 bei Dominikanern in Amsterdam erschienenen Ausgabe), 311f Anm. 8, in ὁ ἄνομος Titus sehen wollen.

[211] Als neuer Dynastie ist der Sieg über Jerusalem für die Flavier ein unverzichtbarer Anlass, sich als Friedenstifter darzustellen, die das Römische Reich vor dem Zerfall gerettet haben. Es ist kaum denkbar, dass Vespasian, der mit gezielter Propaganda öffentliche Meinungen zu steuern wusste (H. Bengtson, Die Flavier. Vespasian, Titus, Domitian; Geschichte eines römischen Kaiserhauses, München 1979, 86), aus diesem außenpolitischen Erfolg kein Kapital geschlagen hat.

[212] Vgl. H. Bengtson, Flavier, 79; Josephus, Bell. 7,146ff.

[213] Je mehr Propaganda über den Erfolg der Flavier in Jerusalem veranstaltet wurde, desto betroffener waren die Juden, auf deren Leiden der Erfolg basierte.

[214] Josephus, Bell. 6,316: »Als die Aufrührer in die Stadt hinunter geflohen waren und der Tempel selbst sowie alle umliegenden Gebäude in Flammen standen, trugen die Römer ihre Feldzeichen in den heiligen Bezirk und stellten sie dem östlichen Tor gegenüber auf.«

Militär, unter dessen Schutzgöttern Jupiter hervortritt.[215] Dass Titus den Tempel zerstören ließ, lag, wie H. Schwier zu Recht annimmt, wohl hauptsächlich daran, dass der Jerusalemer Tempel trotz des römischen Angriffs den Jupiter Tempel in Rom überlebt hatte,[216] der im Bürgerkrieg zwischen den Anhängern der Flavier und des Vitellius ein Jahr zuvor niedergebrannt worden war. Die Flavier waren an der Zerstörung dieses Tempels nicht ganz unschuldig. Umso mehr waren sie genötigt, den Eindruck aus der Welt zu schaffen, dass der Jerusalemer Tempel unversehrt blieb, während der Tempel des Jupiter Capitolinus in Rom zerstört worden war. Denn die Flavier wurden für den Brand des Jupiter-Tempels, der ein Symbol und »Garant der römischen Herrschaft« war,[217] verantwortlich gemacht. Die Zerstörung des Jerusalemer Tempels kann daher durchaus als strategisch kluge Handlung angesehen werden, die den Eindruck erweckte, der neue Kaiser und sein Geschlecht, ja überhaupt die Herrschaft Roms, seien trotz der längeren Überlebensdauer des jüdischen Tempelgebäudes um ein Jahr stärker als der jüdische Gott und sein Heiligtum. Dies wurde durch die Bestimmung der Tempelsteuer, nach der Zerstörung des Tempels, für Jupiter[218] noch einmal öffentlich bekräftigt. Das Geld, das bisher dem jüdischen Gott und seinem Tempel gespendet wurde, musste jetzt zum Wiederaufbau des römischen Tempels dienen. Der jüdische Gott musste dem heidnischen Gott dienen. Angesichts dieser Maßnahmen versteht es sich von selbst, dass der Eindruck entstehen konnte, die Flavier setzten sich an die Stelle Gottes.

Dieser Eindruck könnte sogar konkret darauf beruhen, dass die Soldaten nach der Aufstellung der Fahnen vor dem zerstörten Tempelgebäude eben diesen Feldzeichen Opfer dargebracht und Titus als Imperator ausgerufen haben (Josephus, Bell. 6,317). Ein Flavier setzte sich also tatsächlich in den Tempel Gottes und gab durch seine Zustimmung gegenüber der militärischen Akklamation vor, er sei Gott! Es ist nicht weiter erstaunlich, dass Titus in der rabbinischen Literatur als Tempelfrevler bezeichnet wird.[219]

Eventuell ist an dieser Stelle eine Reihe von Münzen zu berücksichtigen, auf denen Titus auf einem Stuhl sitzend abgebildet ist. Die Flavier haben Münzen prägen lassen, auf denen Göttinnen wie Pax, Concordia,

---

[215] Vgl. H. Schwier, Tempelzerstörung, 330–337, hat dies überzeugenderweise wahrscheinlich gemacht. Seine Erörterung wurde hier zugrunde gelegt.

[216] Nach Schwier, Tempelzerstörung, 74ff, bestand damals unter den Juden sogar die in der Tradition verankerte Überzeugung von der Unzerstörbarkeit Jerusalems.

[217] Vgl. H. Schwier, Tempelzerstörung, 218–231.

[218] Vgl. Josephus, Bell. 7,218.

[219] Vgl. G. Stemberger, Beurteilung, 346–349 und 351–358.

Salus, Victoria, Sere, Roma sitzend dargestellt sind.[220] Auffällig ist nun die Entwicklung, dass statt der Göttinnen zuerst Titus[221] und später Domitian selbst auf einem Stuhl sitzend dargestellt wurden. Von Titus ist sogar auf einer Münze zu beobachten, dass er erhöht auf einer Plattform auf einem Stuhl sitzt und von dort aus nach unten herabblickt (vgl. die Abbildung oben).[222] Diese Münze stammt aus dem Jahr 72 n.Chr., wohl zur Erinnerung des ein halbes Jahr zuvor in Rom stattgefundenen Triumphzugs (Juni 71 n.Chr.).[223] Würde sich diese Plattform auf die Plattform des zerstörten Jerusalemer Tempels beziehen, wofür m.E. die zur gleichen Zeit hergestellten Münzen »*iudaea capta*« sprechen,[224] könnte dies als eindeutiges Argument für unsere Annahme angesehen werden. Allerdings sind der Münze keine weiteren ausführlichen Informationen zu entnehmen.

Es liegt auf der Hand, dass dieser Eindruck weiter verstärkt wurde, als Vespasian wegen Aufständen der Juden in Alexandrien auch den jüdischen Tempel im ägyptischen Leontopolis zerstören ließ.[225] Dieser Tempel war von der Größe her kaum mit dem Jerusalemer Tempel vergleichbar, theologisch gesehen jedoch nicht weniger bedeutsam.[226] Damit dürfte sich für die Juden die Einschätzung durchgesetzt haben, dass sich nicht nur in Judäa sondern auch in der Diaspora, und damit überall, Vespasian an die Stelle Gottes setzte, indem er dessen Tempel zerstören ließ.

Wenn wir den Bericht des Antiocheners Malalas als zutreffend ansehen, dann erhalten wir darin einen weiteren Beleg für unsere Annahme. Ihm zufolge hat Vespasian in Antiochien eine Synagoge zerstört und an demsel-

---

[220]  pax   victoria  annona
(aus H. Mattingly, Coins of the Roman Empire in the british Museum, Vol. II Vespasian to Domitian, Londen 1930, PL. 8).

[221] 
(aus Mattingly, Coins, PL. 12,1).
Nach Mattingly ist die auf einem Stuhl sitzende Figur Titus.

[222] Mattingly, Coins, PL. 24,11.

[223] Ebd. xxxv.

[224] Ebd. PL. 25,1.

[225] Vgl. Josephus, Bell. 7,421.

[226] Schwier, Tempelzerstörung, 51–53.

ben Ort ein Theater gebaut, wo er sein Standbild aus Marmor aufstellen ließ.[227] Dieser Vorfall erinnert stark an den Versuch des Gaius Caligula, sein eigenes Standbild im Jerusalemer Tempel aufzustellen. Die Flavier konnten in der Tat so erlebt werden, als wollten sie sich an die Stelle Gottes setzen.

An dieser Stelle bleibt zu erwähnen, dass Vespasian in mancher Hinsicht dem Kaiser Claudius ähnelte, in dessen Person m.E. Paulus einmal die mit Gaius Caligula gegebene Gefahr hatte fortleben sehen. Wie Claudius sorgte auch Vespasian für die Wiederherstellung der Stabilität des Reiches, übernahm und verbesserte die claudische Legislatur, adoptierte also »a style of government attentive to the people's needs, including attempts to reclaim public land for the state«.[228] Diese deutlich zu Tage tretende Ähnlichkeit[229] dürfte es wohl dem Verfasser des 2 Thess leicht gemacht haben, eine ehemals auf Claudius bezogene mündliche Tradition auf Vespasian zu übertragen. Es gilt nun zu überprüfen, ob diese Annahme, es handle sich um Vespasian, am Text weitere Unterstützung findet. Wir beginnen mit v9, wo von einer Machttat bzw. Kraft die Rede ist.

2.3 Der Antichrist, der in der Kraft des Satans wirkt (v2,9)

Aufgrund des Singulars von δύναμις möchte v. Dobschütz[230] dieses Wort als Oberbegriff für die dann erwähnten Zeichen und Wunder verstanden wissen: ἐν πάσῃ δυνάμει καὶ σημείοις καὶ τέρασιν. Dieses Verständnis kann man aber nicht mit Röm 15,19 absichern, denn an dieser Stelle, die v. Dobschütz als Beleg für seine Auffassung anführt, fehlt zwischen den ersten beiden Gliedern die Konjunktion καί. Es heißt dort: ἐν δυνάμει σημείων καὶ τεράτων. Vielmehr wird man aufgrund von Apg 2,22 oder 2 Kor 12,12, in den Begriffen eine Trias sehen, so dass man den ersten Begriff getrennt von den anderen auslegen darf.

Dass Vespasian zum princeps geworden ist, verdankt er seiner militärischen Macht. Sie bestand anfänglich aus den beiden in Ägypten stationierten Legionen (der legio III Cyrenaica und der legio XXII Deiotariana), den drei Legionen in Palästina, den vier Legionen in Syrien unter Mucian und

---

[227] Vgl. J. Malalas, Chronographia, 261 (nach Theißen, Lokalkolorit und Zeitgeschichte in den Evangelien. Ein Beitrag zur Geschichte der synoptischen Tradition, NTOA 8, Freiburg u.a. 1989, 275f).

[228] Vgl. B. Levick, Vespasian, London 1999, 73f. Weiterführende Literatur über dieses Thema: M.G. Schmidt, Claudius und Vespasian: Eine Interpretation des Wortes ›vae, puto, deus fio‹ (Sueton, Vespasian 23,4), Chiron 18 (1988), 83–89; K. Waters, The second dynasty of Rome, Phoen 17 (1963), 198–218 (Levick nennt noch andere Literatur in Vespasian, 73 Anm. 26).

[229] Eine ungewollte Konsequenz des Modells des Claudius anstelle des Vespasian ist, dass Titus als kommender Nero verhöhnt wurde (Levick, Vespasian, 74).

[230] 2 Thess, 287.

den Donaulegionen.[231] Ohne diese Militärmacht wäre der Aufstieg des Vespasian nicht denkbar gewesen.

Dass Vespasian Vitellius besiegen konnte, besagt, dass seine Militärmacht größer war als die des Vitellius.[232] Die Streitmacht, die gegen Vitellius gezogen war, umfasste mehr als sechs Legionen (z. B. die legio III Gallica, VIII Augusta, VII Claudia, XIII Germania, VII Galbiana, XI Claudia aus Dalmatien). Nach B. Levick stellten die gesamten Truppen des Vespasian, abgesehen von dem kaiserlichen Anteil, damals fast ein Drittel des römischen Heeres dar.[233] Von daher ist leicht vorstellbar, dass die »Parusie« dieses Herrschers mit großer Kraft (=Macht) in Verbindung gebracht wurde.[234]

Die militärische Stärke der Flavier zeichnete sich nicht nur durch die Größe der Heere, sondern auch durch ihre Qualität aus. Seine Truppen waren fortwährend in Kämpfe involviert, so dass seine Soldaten in bester Form waren. Dass sie die Kämpfe mit den Vitellianern gewinnen konnten, ist auch darauf zurückzuführen. Der entscheidende Kampf war der in Bedraicum, wo Antonius Primus auf der Seite der Flavier die Vitellianer besiegte.[235] Dieser Ort war ursprünglich der Ort des vitellianischen Sieges über Otho bzw. Galba.[236] Es dürfte sich herum gesprochen haben, dass selbst die Vitellianer, die als Sieger über Galba und Otho triumphierten, nicht stark genug waren, die Flavier zu besiegen.[237] Dass überall von diesem Sieg erzählt wurde, ist anzunehmen, und zwar nicht nur um der Gerüchte willen sondern auch aus Propagandazwecken, damit Konkurrenten abgeschreckt wurden, gegen die Flavier anzutreten. Nach Tacitus »schickte man zur Verbreitung der Siegesnachricht Boten nach Britannien und Spanien« und auch nach Gallien.[238]

---

[231] H. Bengtson, Flavier, 53–55.

[232] Vgl. Bengtson, Flavier, 56. Nach seiner Berechnung war die Truppe des Vespasian »zahlenmäßig dem Heer des Vitellius ohne weiteres gewachsen.«

[233] Vespasian, 54.

[234] Die militärische Stärke Vespasians wurde auch mit Hilfe von Münzen propagiert. Ein Beispiel dafür ist die folgende Münze, die in den Jahren 72/73 geprägt wurde.

(aus Mattingly, Coins, PL. 2,11)

[235] Vgl. Bengtson, Flavier, 58f; Dio, LXIII 10.

[236] Vgl. K. Christ, Kaiserzeit, 247.

[237] Sueton überliefert diesbezüglich eine Geschichte, wonach vor dem Beginn der Schlacht bei Bedraicum zwei Adler miteinander kämpften und der Sieger von einem Dritten aus Osten verjagt wurde (Vespasian, 5). Nach Dio, LXIV 9 versuchte Antonius Primus selbst die Vitellianer auf seine Seite zu bewegen, indem er sagte, dass die Stärke der Vespasianer der der Vitellianer überlegen sei.

[238] His. 3,35.

In diesem Zusammenhang ist vielleicht zu erwähnen, dass sich in Cremona ein grausamer Vorfall ereignete.[239] Antonius Primus hatte seinen Soldaten die Erlaubnis erteilt, die Stadt zu plündern. Die Soldaten gingen dabei mit aller Grausamkeit vor. Es ist daher leicht vorstellbar, dass dieses Ereignis mit großem Schrecken weiter erzählt wurde.

Hinzu kommt die Niederschlagung des jüdischen Aufstandes durch die Flavier. Bereits im Jahr 68 war es den Flaviern gelungen, ganz Judäa außerhalb von Jerusalem zu besetzen. Damit erwies sich Vespasian bereits als Sieger im Osten. Im Frühjahr 70 nahm sein Sohn Titus die Kämpfe gegen Jerusalem wieder auf. Da die Stadt lange Widerstand geleistet hatte, war »die Einnahme Jerusalems«, so schreibt der Althistoriker H. Bengtson, »ein Ereignis von weltgeschichtlicher Bedeutung«.[240]

> Der Fall der Stadt, auf den man so lange hatte warten müssen, wurde in der ganzen römischen Welt mit einem Jubelsturm begrüßt [...]. Die Dynastie der Flavier hätte ihr Gesicht verloren, wenn sie hier nachgegeben und den Juden Schonung gewährt hätte.[241]

Durch die Besiegung des jüdischen Aufstandes erwiesen sich die Flavier als mächtige Herrscher der Welt.

Dies wurde von den Flaviern dadurch unterstrichen, dass ihr Sieg durch Münzprägungen im Vergleich zu anderen erfolgreichen Feldzügen in extrem hohem Maße gefeiert wurde.[242] Ein Bild des Vespasian ohne Betonung seiner militärischen Macht wäre also kaum vorstellbar.

Dafür sprechen drei weitere Indizien, zunächst sein Portrait. Das Kaiserportrait war in römischen Zeiten ein wichtiges Propagandamittel. Standardisierte Kopien wurden im Allgemeinen von Rom aus ins ganze Reich geliefert und in den jeweiligen Orten je nach Vermögen angefertigt, so dass man im ganzen Reich ohne große Schwierigkeit erkennen konnte, welches Portrait welchem Kaiser gehörte.[243] Offensichtlich sollte mit dem standardisierten Kaiserportrait der Bevölkerung des gesamten Reiches von Rom aus vermittelt werden, worin das Interesse eines Kaisers lag bzw. wie der Kaiser angesehen werden wollte. Im direkten Vergleich des Vespasianportraits mit dem des Augustus schreiben K. Vierneisel und P. Zanker:

> Das Vespasianportrait steht in stärkstem Kontrast zum Bildnis des Augustus. Wir haben in dem vierschrötigen Schädel mit dem fleischigen Gesicht, der breiten Glatze,

---

[239] Dio, LXIV 15.

[240] Bengtson, Flavier 76.

[241] Ebd.

[242] H.-G. Simon, Historische Interpretationen zur Reichsprägung der Kaiser Vespasian und Titus, Diss. Phil., Marburg 1952, 90 (zitiert nach H. Schwier, Tempelzerstörung, 289).

[243] Vgl. S.R.F. Price, Rituals and Power. The Roman Imperial Cult in Asia minor, Cambridge 1984 (reprinted 1998), 172f.

der faltenreichen, erschlafften Haut und dem zahnlosen Mund offenbar ein realistisches Abbild des alten Mannes aus den Jahren seiner Erhebung zum Kaiser vor uns. Die stark angespannten Züge geben dem Gesicht einen energischen, unmittelbar auf Umwelt und Augenblick bezogenen Ausdruck. Der Verzicht auf jede verschönernde Stilisierung passt zu Vespasians Persönlichkeit und Selbstverständnis. Das Bildnis enthält [...] wichtige Aussagen: Der Kaiser zeigt sich jedermann verwandt in allem, was Conditio humana ist. Der neue princeps konnte sich nicht auf mythisch verbrämte Familientraditionen berufen wie Augustus und seine Familie, aber er durfte auf seine im Krieg bewiesene Leistungskraft und Energie verweisen. Der Ausdruck der Willenskraft und Entschlossenheit muss vor allem für das Heer, dem Vespasian seine Herrschaft verdankte, unmittelbar verständlich gewesen sein [...].[244]

Das Portrait des Vespasian vermittelt also das Image eines starken, kriegserfahrenen Herrschers. Dies liegt nicht weit entfernt von der Formulierung »in der Kraft [...] mit jeglicher Machttat« (2 Thess 2,9).

Ein zweites Indiz ist das Festhalten am *dies imperii*, also an dem Tag der Akklamation durch die Soldaten in Alexandrien, anstelle des Tages, an dem der Senat Vespasian als princeps anerkannt hat.[245] Dies lässt sich mit H. Schwier als Zeichen dafür verstehen, wie die Flavier-Monarchie von der Bevölkerung verstanden werden wollte, nämlich dass sie mit ihrer starken militärischen Macht und ihren Truppen eng verbunden war.

Das dritte Indiz ist die außenpolitische Lage des Jahres 70. Zum Beispiel waren in Germanien und Gallien Unruhen ausgebrochen. Der Bataver Iulius Civilis schickte sich an, gegen Vespasian zu kämpfen, und die Treverer an der Mosel und die Lingonen in Gallien schlossen sich ihm an, während viele römischen Lager vernichtet wurden.[246] Rom war gezwungen, reale militärische Stärke zu demonstrieren. Zugleich war es strategisch geschickt, seine Stärke lautstark zu propagieren, damit nicht andere auf den Gedanken kämen, das Gleiche wie in Germanien sowie Gallien zu versuchen. Es ist von daher durchaus vorstellbar, dass die Stärke des Vespasian von Rom aus absichtlich betont und verbreitet wurde.

Die Näherbestimmung des Ausdrucks »in der Kraft« durch den Genitiv »des Satans« ist auf den Standpunkt des Verfassers zurückzuführen. Angesichts der Zerstörung des

[244] K. Vierneisel/P. Zanker (Hg.), Die Bildnisse des Augustus. Herrscherbild und Politik im kaiserlichen Rom, 1979, 101. Das Vespasian-Bild ist aus dem genannten Buch.

[245] Darüber wird unten noch zu sprechen sein.

[246] Vgl. H. Bengtson, Flavier, 66f.

Jerusalemer Tempels durch die Flavier dürfte es für den Verfasser des 2 Thess nahe gelegen haben, die zerstörerische Kraft der Flavier als satanisch zu bezeichnen.[247]

2.4 Die Zeichen und Wunder des Antichristen (v9)

Der Aufstieg Vespasians wurde durch eine große Menge an Zeichen- und Wundergeschichten begleitet, was sicherlich zur flavischen Propaganda gehörte, wie weiter unten noch zu erläutern sein wird. In dieser Hinsicht sind die Flavier neben dem Kaiser Augustus einzigartig, denn andere Kaiser werden vergleichsweise weniger mit solche Zeichen– und Wundergeschichten verbunden. Sueton erzählt von vielen Zeichen für Vespasians Aufstieg, z.B:

> Auf einem Landgut der Flavischen Familie trieb eine alte, dem Mars geheiligte Eiche bei den drei Entbindungen der Vespasia plötzlich immer je einen neuen Wurzelschößling, und diese erwiesen sich als unzweideutige Zeichen von dem Geschick eines jeden der Kinder. Der erste Schößling nämlich war schwach und vertrocknete bald, weshalb denn auch das Mädchen, welches Vespasia gebar, kein Jahr alt wurde; der zweite war sehr kräftig und üppig und versprach glückliches Fortkommen; der dritte erschien gar fast einem Mann gleich. Deshalb soll denn auch der Vater Sabinus, der obendrein noch durch den Ausspruch eines Opferschauers in seiner Ansicht bestärkt worden war, seiner Mutter die Meldung gebracht haben, ihr sei ein Enkel geboren, der einst Kaiser sein werde [...] (Vespasian 5,2).

Im Zusammenhang mit Gaius Caligula berichtete Sueton von einem Vorfall,[248] in dem Caligula Vespasian »den Faltenbausch seiner Amtstoga durch Soldaten mit aufgesammeltem Gassenkot füllen ließ«, weil dieser, als zuständiger Beamter für das Fegen der Straßen, seine Arbeit nicht anständig getan hätte. Dieser Vorfall wurde nach Sueton von Leuten als Vorzeichen dafür interpretiert, »dass der einst mit Füßen getretene und verwahrloste Staat bei irgendeinem Umsturz sich in seinen Schutz und – sozusagen – in seinen Schoß begeben werde.«[249]

Ferner erzählt Sueton,

> Als er einmal beim Frühmahl war, schleppte ein fremder Hund eine Menschenhand, die er auf einem Kreuzweg gefunden haben mochte, ins Zimmer und ließ sie unter dem Tisch fallen. Ein andermal, als er bei der Hauptmahlzeit war, brach ein Pflugstier, der sein Joch abgeworfen hatte, ins Speisezimmer, jagte die aufwartenden Diener in die Flucht und warf sich dann, als wäre er plötzlich müde, ihm zu Füßen vor sein Lager hin und beugte vor ihm das Genick zur Erde. Ein Zypressenbaum ferner auf seinem großväterlichen Landgut, der, ohne dass ein Unwetter vorhergegan-

---

[247] S.u. den Abschnitt ›Die Parusie des Antichristen‹.

[248] Vespasian 5,3.

[249] Ebd.

gen, mit den Wurzeln ausgerissen und zu Boden geworfen worden war, richtete sich tags darauf noch frischer und kräftiger wieder empor. (Vespasian 5,4)

In Verbindung mit Kaiser Nero erzählt Sueton von Träumen Vespasians sowie Neros selbst. (1) Ein erster Traum handelt davon, dass Vespasian und seine Familie Glück haben werden, wenn dem Nero ein Zahn gezogen werde. Ein Arzt zeigt am nächsten Tag, als Vespasian auf die Audienz wartete, einen frisch gezogenen Zahn Neros.[250] (2) Des weiteren wird geschildert, dass Nero »durch ein Traumgesicht aufgefordert worden (sei), den Prachtwagen des Kapitolinischen Jupiter aus dessen Heiligtum in das Haus des Vespasian und von da an in den Zirkus zu führen.«[251]

Ferner berichtet Sueton von einem Orakel auf dem Karmel in Palästina, der Statue des vergöttlichten Iulius, die sich nach Osten herum drehte, als Galba in der Volkssammlung sein zweites Konsulat antrat, und von zwei miteinander kämpfenden Adlern bei Bedriacum, deren Sieger von einem dritten von Osten aus verjagt wurde.[252] Eine weitere Zeichengeschichte überlieferte Tacitus:

In der folgenden Zeit verlangte es Vespasian noch stärker danach, sich zu der heiligen Stätte zu begeben, um sich dort über die Angelegenheiten des Reiches zu befragen. Er befahl, dass alle anderen dem Tempel fernbleiben sollten. Als er selbst voll Spannung auf das göttliche Walten eingetreten war, erblickte er beim Umsehen hinter sich einen vornehmen Ägypter, namens Basilides, der sich, wie Vespasian bestimmt wusste, augenblicklich an einem von Alexandria, mehrere Tage entfernten Ort befand und krankheitshalber dort festgehalten war. Vespasian erkundigte sich bei den Priestern, ob Basilides an diesem Tage den Tempel betreten habe, fragte auch bei den ihm in den Weg kommenden Leuten nach, ob jener in der Stadt gesehen worden sei. Schließlich brachte er durch eine Reiterabordnung heraus, dass Basilides zu diesem Zeitpunkt 80 Meilen entfernt war. Da deutete er die Erscheinung als gottgesandt und legte auf Grund des Namens ›Basilides‹ dem ihm zuteil gewordenen Bescheid einen besonderen Sinn bei.

Es sind uns nicht allein solche »Zeichengeschichten« über Vespasian überliefert worden, sondern auch Wundergeschichten mit Heilungen, die Vespasian selbst vollbracht haben soll. Tacitus schreibt in His. 4,81f.[253]

---

[250] Ebd. 5,5.

[251] Ebd. 5,7.

[252] Ebd.

[253] Auch Sueton, Vespasian 7, erzählt diese Wundergeschichte, jedoch tritt in seiner Version neben Blinden ein Fußgelähmter statt der Handgelähmten auf. An dieser Stelle könnte wohl eine Verwechselung in der Überlieferung mit der zur Heilung eingesetzten Fußsohle des Vespasian vorliegen. Über die Bedeutung der Fußbenutzung bei Heilung vgl. M. Clauss, Kaier und Gott, 114. Die Authentizität der Wundergeschichte betreffend, lassen sich unterschiedliche Ansichten finden. So ist sie z.B. für Scott, Cult, 10f, erfunden, um die Verehrung des Serapis voranzutreiben und politische Ziele zu erreichen, während für S. Morenz, Vespasian, Heiland der Kranken. Persönliche Frömmigkeit im antiken Herrscherkult?, Würzburger Jahrbücher für die Altertums-

In den Monaten, da Vespasian in Alexandria auf die an bestimmten Tagen einsetzenden Sommerwinde und damit auf sichere Seefahrt wartete, ereigneten sich nicht wenige *Wunder, die auf die Gunst des Himmels, auf eine gewisse Zuneigung der Götter zu Vespasian deuteten.* Ein Mann aus dem gewöhnlichen Volk Alexandrias, der durch den Verlust seines Augenlichtes allgemein bekannt war, warf sich vor Vespasians Knie nieder und bat seufzend um die Heilung seiner Blindheit; er tat es auf Weisung des Gottes Serapis hin, den das in religiöser Schwärmerei aufgehende Volk besonders verehrt. Und so flehte er denn den Fürsten an, er möge sich gnädig herablassen, ihm Wangen und Augenlider mit dem Speichel seines Mundes zu bestreichen. Ein anderer, der ein Leiden an der Hand hatte, bat auf Geheiß des gleichen Gottes den Fürsten, sie mit seiner Fußsohle zu berühren. Vespasian fand die Sache zunächst lächerlich und lehnte ab. Als aber jene Kranken ihm weiter zusetzten, da wurde er schwankend: einerseits fürchtete er für den Fall des Misslingens ein böses Gerede, anderseits kam er bei den beschwörenden Bitten der Kranken und den Zurufen der Schmeichler dahin, die Sache aussichtsreich zu finden. [...] So führte also Vespasian in der Meinung, dass bei seinem Glück alles möglich sei und dass man künftig bei ihm nichts für unmöglich halten werde, mit freundlicher Miene vor den Augen der in gespannter Erwartung dastehenden Menge den Auftrag aus. Die Hand wurde sofort wieder gebrauchsfähig, dem Blinden aber leuchtete das Tageslicht von neuem. Beide Geschichten erzählen Augenzeugen auch jetzt noch, wo doch eine lügenhafte Darstellung keinen Gewinn mehr brächte.[254]

In den bisher dargestellten Zeichen- und Wundergeschichten geht es vor allem darum, die besondere göttliche Erwählung des Vespasian zu unterstreichen. Die beiden Kranken in Alexandria sind z.B. auf Weisung des Gottes Serapis hin zu Vespasian gekommen. Dies ist offenbar ein Zeichen dafür, dass der Gott Serapis in Vespasian gegenwärtig wurde. Das war »die göttliche Legitimation« für Vespasian, der nun »der Auserwählte des Allerhöchsten« geworden war.[255] Sueton formuliert dies explizit so:

Noch fehlte ihm, als einem wider alles Erwarten auf den Thron gekommenen und zur Stunde noch neuen Fürsten, die Majestät, welche durch göttliches Zeugnis verliehen wird: auch diese wurde ihm zuteil. Zwei Menschen aus dem geringen Volk, ein Blinder und ein Lahmer [...]. (Vespasian 7).

Unmissverständlich ist also, dass sowohl die Zeichen- als auch die Wundergeschichten darauf zielen, die göttliche Auserwählung des Vespasian

---

wissenschaft 4 (1949/50), 370–378, zumindest die Heilungswunder von Blinden authentisch sind, wofür sich jedoch keine nähere Begründung finden lässt. H. Bengtson, Flavier, 61f. fällt diesbezüglich überhaupt kein Urteil.

[254] Es ist gut möglich, dass diese Wundergeschichte dazu diente, Vespasian als Retter des kranken Reichs zu propagieren. Denn dies war die erste Handlung des neuen Kaisers, wenn sie zur Zeit der Akklamation des Senats geschehen sein sollte. Wie in der Zeichengeschichte mit Caligula und der vespasianischen Toga, heilt Vespasian hier das blinde und gelähmte Römische Reich. Vgl. G. Ziethen, Heilung und römischer Kaiserkult, Sudhoffs Archiv 78 (1994), 171–191.

[255] H. Bengtson, Flavier, 62.

zu veranschaulichen. Dieses Ziel verfolgend lassen sich die meisten Geschichten von ihrem Inhalt her vor oder spätestens an den Anfang der Herrschaft der Flavier datieren, unabhängig davon, ob sie historisch sind oder nicht. Die Wundergeschichte von Alexandrien macht das beispielhaft deutlich.

Es handelt sich um die Zeit, als Vespasian noch nicht in Rom eingetroffen war.[256] Es bestehen kaum Zweifel daran, dass die Zeichen- und Wundergeschichten in der Anfangsphase der flavischen Regierungszeit überall im Römischen Reich erzählt worden sind. Genauso wie Schilderungen des Vespasian ohne Bezüge auf seine militärische Macht kaum vorstellbar waren, so dürften Schilderungen von Vespasian ohne Bezug auf seine Wunder- und Zeichengeschichten nur ein halbes Bild von ihm ergeben. Es ist daher durchaus denkbar, dass auf solche Geschichten in 2 Thess 2,9 mit der Formulierung, der Gesetzlose werde »mit Wundern und Zeichen (der Lüge)« auftreten, Bezug genommen wird.

Für die Näherbestimmung von Wundern und Zeichen durch das Genitivattribut »Lüge«[257] gilt genau das, was oben bereits in Bezug auf die Formulierung »die Kraft des Satans« gesagt wurde. Die Bewertung der Wunder und Zeichen der Flavier geschieht aus der Perspektive des Verfassers des zweiten Thessalonicherbriefs. Mit der Bezeichnung »Lüge« wird vom Verfasser nicht die Wundertat als solche geleugnet,[258] sondern die göttliche Legitimation, die man aus den Wundern und Zeichen abzuleiten versuchte.

2.5 Der Aufhaltende des Antichristen (vv6f)

Die Offenbarung des Gesetzlosen ist sowohl in v6 als auch in den vv7f dadurch bedingt, dass zuvor das bzw. der Aufhaltende entfernt wird. An diesen Stellen ist daran zu erinnern, dass die potenzielle Gefahr, die in Claudius schlummerte, durch dessen plötzlichen Tod vorläufig und vorübergehend gebannt worden war und im Laufe der Zeit dessen Nachfolger Nero naturgemäß als das (bzw. der) Aufhaltende verstanden wurde.[259]

[256] Vgl. W. Weber, Josephus und Vespasian. Untersuchung zu dem jüdischen Krieg des Flavius Josephus, Berlin u.a. 1921, 250–258.

[257] Für v. Dobschütz, Thess, 287. Auch für Malherbe, Thess, 425, bestimmt das Wort ›der Lüge‹ nicht nur die beiden Wörter, sondern auch das Wort δύναμις.

[258] Vgl. W. Trilling, 2 Thess, 105.

[259] S.o. In der Forschung finden sich Ansichten, die hinter dem Aufhaltenden (maskulinum oder neutrum) das römische Reich bzw. dessen Herrscher sehen, so z.B. G. Milligan, Thess, 101; Dibelius, Thess, 34; P.W. Schmiedel, Thess, 41. Der Vorschlag einer Konkretisierung so wie hier in der Person des Nero ist mir allerdings nicht bekannt.

Wenn wir nun in Vespasian den Gesetzlosen sehen, so passt der Ablauf der Verse vv6f sehr gut dazu. Der Herrschaft des Nero folgten zunächst drei Kaiser hintereinander, aber ihre Herrschaftsdauer war sehr kurz. Sie umfasste insgesamt nur anderthalb Jahre (vom 8. Juni 68 n.Chr. bis Dezember 69 n.Chr.). Wenn man die Proklamation des Vespasian zum Imperator in Alexandrien am 1. Juli 69 n.Chr. mit berücksichtigt, dann würde die Interimszeit der Bürgerkriege lediglich ein Jahr und einen Monat umfassen. Obwohl alle drei Kaiser als legitime Herrscher angesehen wurden, war es eine Übergangszeit, in der sich die Ordnung in Chaos aufzulösen drohte.

Dieser Geschichtsablauf mit einer kurzen Übergangszeit lässt sich aus der Schilderung in v8a herauslesen. Dem vorausgehenden Entfernen des Aufhaltenden folgt zunächst die Formulierung »und dann« in Kombination mit einem futurischen Verb, was einen gewissen Spielraum für die Annahme einer Übergangszeit offen lässt. (Hätte sich die Offenbarung des Gesetzlosen unmittelbar angeschlossen, wäre eher ein Aorist zu erwarten.)

Außerdem passt v7a gut in die spätere Zeit Neros. Bekanntlich gab es in den ersten fünf Jahren seiner Herrschaft nicht viel zu tadeln. Dies änderte sich jedoch schnell im Lauf der Zeit; er wurde zu einem extrem gefährlichen Machthaber, besonders für die Christen in Rom, was wohl auch Auswirkungen außerhalb Roms gehabt haben dürfte. Selbst Paulus wurde unter ihm getötet. Dass man diese Zeit als Zeit, in der das Geheimnis der Gesetzlosigkeit wirksam war, bezeichnet hat, ist gut nachvollziehbar.

Unsere These, es handele sich um Anspielungen auf Vespasian, lässt sich mit folgenden weiteren Indizien erhärten.

2.6 Die Parusie des Antichristen (v9)

Die These wird zunächst durch das Wort »Parusie« in v9 unterstützt. Dies v9 einleitende Wort ist hier im politischen Sinn gebraucht,[260] von dem wir oben bereits gesprochen haben. Dafür spricht auch die doppelte Benutzung des Wortes: Sowohl für Jesus in v1 und v8 als auch für den Gesetzlosen in v9. Wenn der Begriff hier in einem (rein) religiösen Sinn gebraucht wäre, wäre dessen Anwendung auf den Gesetzlosen unvorstellbar, da sie eine Aufwertung des Gesetzlosen auf die gleiche Höhe mit dem Weltenrichter Jesus zur Folge hätte. Hinzu kommt die Beobachtung, dass die Parusie des Gesetzlosen nicht etwa die des Satans selbst ist, sondern nur in seiner Kraft geschieht, d.h. der Gesetzlose tritt hier nur als ein Werkzeug des Satans auf. Wir haben es in unserem Fall also nicht mit einer mythologischen Vorstel-

[260] Vgl. H. Koester, Eschatology, 445f. Es ist erstaunlich, warum man in 2 Thess 2,9 trotzdem nicht den politischen Sinn des Wortes Parusia liest.

lung zu tun, sondern möglicherweise mit einer konkreten politischen Begebenheit.

Hierbei hilft uns die Erkenntnis weiter, dass römische Kaiser in urchristlichen Texten mit Satan (oder Beliar) in Verbindung gebracht werden konnten. Ein bekanntes Beispiel ist Apk 13, wo sieben Häupter eines Tieres aus dem Meer, das von einem Drachen (= Teufel und Satan nach Apk 12,9) überwältigt wird (v2), römische Kaiser symbolisieren und das Tier, dessen tödliche Wunde geheilt wurde (v3 und v12), für einen bestimmten römischen Kaiser (möglicherweise den Kaiser Nero)[261] steht. Interessant ist dabei, dass das Tier im Auftrag des Satans Zeichen vollbringt, genauso wie in 2 Thess 2,9.

Auch in Ascensio Iesaiae, das in der zweiten Hälfte des 2 Jh. geschrieben wurde,[262] ist die Verbindung eines römischen Kaisers mit Beliar zu beobachten. In 4,2f heißt es nämlich,

> Und nachdem es mit ihr (sc. der Welt) zu Ende gekommen ist, wird Beliar, der große Fürst, der König dieser Welt, der sie beherrscht hat, seit sie besteht, herabkommen, und er wird aus seinem Firmament herabsteigen in der Gestalt eines Menschen, eines ungerechten Königs, eines Muttermörders, was eben dieser König ist, die Pflanzungen, die die zwölf Apostel des Geliebten gepflanzt haben, wird er verfolgen, und von den Zwölfen wird einer in seine Hand gegeben werden.[263]

Aufgrund der Formulierung »Muttermörder« sowie der Verfolgung (von Christen) einschließlich der Tötung eines der Zwölfe ist klar, dass es sich hier um den Kaiser Nero redivivus handeln muss. Dass Beliar hinter ihm steht, liegt auf der Hand. Der Text weist eine Reihe auffallender Gemeinsamkeiten mit 2 Thess auf: Während eine Minderheit noch die Ankunft Jesu erwartete, glaubt die Mehrheit an diesen König (v13); Jesu Ankunft wird von Engeln und Heiligen begleitet und die Frommen werden Ruhe finden, während Beliar samt seinen Königen bestraft wird (vv14f).

Auch im JohEv ist die Verbindung des »Fürsten dieser Welt« mit dem Satan zu beobachten, auch wenn das eher implizit als explizit gesagt wird.[264] So stellte z.B. Judas Iskariot, in den der Satan einging (Joh 13,27), ein Symbol für den Fürsten dieser Welt dar, weil er nach Joh 18,3 wie ein römischer Militärmachthaber eine Kohorte kommandierte. Er und der römische Herrscher gehörten zusammen. Auch im JohEv steht der Satan für den römischen Kaiser.

---

[261] So z.B. J.M. Ford, Revelation, AnB 38, New York 1975, 211; D.E. Aune, Revelation II, WBC 55B, Nashville 1998, 737. In der Forschung werden auch andere Kaiser wie z.B. Julius Cäsar, Gaius Caligula, Vespasian für möglich gehalten. Wichtig ist an dieser Stelle für uns, dass es sich hier um einen römischen Kaiser handelt, der mit Satan in Verbindung gebracht wird.

[262] Ph. Vielhauer/G. Strecker, Die Himmelfahrt des Jesaja, in: Neutestamentliche Apokryphen, 548.

[263] Übersetzung von Ph. Vielhauer/G. Strecker, Himmelfahrt, 547–562, dort 552.

[264] Ausführlich bei G. Theißen, Gospel Writing, 138–142.

Die Verbindung von römischen Kaisern mit dem Satan lässt sich auch in einer frühen urchristlichen Schrift wie der Logienquelle beobachten. In der Versuchungsgeschichte von Q fungiert der Satan (Teufel) als Symbolfigur für den römische Kaiser, insbesondere für Gaius Caligula: Die mit der Geschichte verbundenen drei Elemente (Proskynese/Machtausübung/ Konflikt mit dem jüdischen Montheismus) können allesamt für die Herrschaftszeit des Caligula nachgewiesen werden.[265]

Somit liegt es nahe, auch hinter 2 Thess 2,9, wo nicht nur von einer Parusie sondern von einem Auftreten mit satanischer Macht die Rede ist, einen römischen Herrscher zu vermuten. Das kann indirekt durch folgende Beobachtung bekräftigt werden. Wie das älteste Beispiel der Begrüßung des Demetrios Poliorketes durch die Athener zeigt, steht das Wort Parusie oft in Verbindung mit schmeichelnden Lobworten:[266]

> So wie die größten und die liebsten Götter sind sie der Stadt erschienen … Sie kam, um Kores heilige Mysterien gnädig zu begehen, Und Er, er ist, so heiter und so schön wie Gott, lächelnd hergekommen … 's gibt andere Götter, sind jedoch weit weg von uns, oder ohne Ohren, 'S gibt wohl auch keine, oder sorgen nicht für uns: Dich sehn wir gegenwärtig![267]

Genau diese schmeichelhaften Lobworte sind auch in v9 zu finden, »in der Kraft (des Satans) mit jeglicher Machttat« sowie »Wunder und Zeichen (der Lüge)«. Zwar werden diese schmeichelnden Worte aus der Sicht des Verfassers des 2 Thess negativ konnotiert – jegliche Machttat mit der »Kraft des Satans« und »Wunder und Zeichen« mit der »Lüge« –, dennoch lassen sie klar erkennen, dass sie ursprünglich im positiven Sinn mit der ›Parusie‹ in Verbindung standen. Die Parusie in v9 ist deutlich mit einem Ehre erweisenden Prädikat versehen und lässt sich daher nur als in Verbindung mit einem Herrscher stehend auffassen. Andernfalls würde man an dieser Stelle eher ein stärker religiös geprägtes Wort wie »Offenbaren« benutzt haben, wie es z.B. bereits in vv3.6.8 gebraucht wurde.

Vespasian machte sich von Alexandrien aus, wo sich angeblich seine Wunder– und Zeichengeschichten ereignet haben sollen, auf den Weg nach Rom. Er befand sich auf seiner Durchreise über Rhodos und Griechenland, während in Rom zunächst Vitellius beseitigt und die notwendigen Vorbereitungen für einen Kaiseraufstieg in Rom getroffen werden mussten.[268] Dass

---

[265] G. Theißen, Lokalkolorit, 215–232.

[266] Vgl. Art. παρουσία κτλ., in: ThWNT Bd 5, 858.

[267] Rezitiert bei O. Weinreich, Gottmenschentum, 74f.

[268] Josephus, Bell. 7,21f: »Um die Zeit, als der Caesar Titus Jerusalem belagerte, setzte Vespasian an Bord eines Handelsschiffes von Alexandria nach Rhodos über. Von hier fuhr er auf Dreirudern weiter und besuchte alle Städte auf seiner Durchreise; dort wurde er überall mit Ehren empfangen. Von Ionien setzte er nach Griechenland über und weiter von Kerkyra zum Vorgebirge Japygia, von wo er zu Land weiterreiste.«

seine Ankunft in jeder einzelnen Stadt seiner Reise als Parusie eines neuen Herrschers gefeiert wurde, bedarf keiner weiteren Erklärung.[269] Eventuell liefert die Schilderung der Empfangsszene in Rom eine Vorstellung, wie sich seine Parusie (Ankunft) in anderen Städten ereignet haben könnte:

Denn als Vespasian sogar noch weit weg war, huldigten ihm bereits die Menschen Italiens, als sei er schon gekommen; ihrem heißen Wunsch entsprechend hielten sie die Erwartung bereits für seine Ankunft, wobei das Wohlwollen von jeder Nötigung frei war [...] Angesichts der Begeisterung aus allen Schichten der Bevölkerung konnten diejenigen, die durch Würden hervorragten, nicht länger warten, sondern beeilten sich, ihn so weit wie möglich vor der Stadt zu empfangen. Aber auch die anderen Bürger konnten einen Aufschub der Begegnung nicht mehr ertragen, sondern strömten in Massen aus der Stadt [...] Als aber sein Nahen gemeldet und sein sanftes Wesen jedem einzelnen gegenüber von der Vorausgeeilten gerühmt wurde, da wollte ihn die übrige Bevölkerung, Frauen und Kinder, empfangen, wo er vorüber kam. Die Milde seines Angesichtes und sein sanfter Ausdruck begeisterte alle, an denen er vorüber kam, zu den verschiedenen Zurufen: ›Wohltäter‹, ›Heilbringer‹ und ›einzig würdiger Herrscher Roms‹; die ganze Stadt war übrigens wie ein Tempel erfüllt mit Kränzen und Räucherwerk.[270]

Eine weitere Szene schildert Josephus bezüglich des Titus, der ebenfalls Stationen in Syrien gemacht haben soll:

Als aber die Einwohner von Antiochien erfuhren, dass Titus in der Nähe sei, hielt es sie vor Freude nicht mehr hinter den Mauern, und sie eilten ihm mehr als 30 Stadien weit entgegen. Dabei strömten nicht nur die Männer, sondern auch Scharen von Frauen mit Kindern aus der Stadt heraus. Sobald sie aber Titus kommen sahen, stellten sie sich auf beiden Seiten des Weges auf, streckten ihm zur Begrüßung die Hände entgegen und geleiteten ihn dann unter dem Zuruf aller erdenklichen Segenswünsche [...].[271]

Man darf annehmen, dass von solchen »Parusien« der Flavier im ganzen Imperium Romanum erzählt wurde. Wahrscheinlich wurden in diesem Zusammenhang die Kraft- und Machttaten sowie die Wunder- und Zeichengeschichten über die jeweiligen Herrscher miterzählt. Es ist daher gut vorstellbar, dass 2 Thess 2,9 die Schilderung einer derartigen Ankunftsszene widerspiegelt.

---

[269] Siehe die Formulierung des Josephus im Bell. (ebd.): »dort wurde er überall mit Ehren empfangen.«

[270] Josephus, Bell. 7,463f. 468f. 470f (Die in dieser Arbeit zitierten Übersetzungen stammen von O. Michel/O. Bauernfeind, De Bello Judaico Der Jüdische Krieg, Bd. I. II., Darmstadt 1959, 1963).

[271] Ebd. 5,100–104.

2.7 Der Betrug und die Lüge des Antichristen (vv10f)

Der in v10 durch καί eingeleitete Satz schließt sich an den vorigen Satz durch ἐν πάσῃ parallel an. Die Parusie des Widersachers geschieht also sowohl in einer jeden Macht(tat) als auch mit jedem Betrug. Das hier zu Recht mit »Betrug« übersetzte Wort ist unmissverständlich an den Wertmaßstäben des Autors orientiert und kann von daher abhängig von der jeweiligen Blickrichtung verschieden eingeschätzt werden. Ein Betrug kann z.B. aus der Sicht des Betrügenden selbst Überzeugungsarbeit sein. Deshalb kann unter »Betrug« durchaus »politische Überzeugungsarbeit« oder »Propaganda« verstanden werden. Eine Parusie, die mit »jeglicher Propaganda« geschah, findet sich besonders bei den Flaviern, wie unten zu erklären sein wird.

Mit Neros Tod war das julisch-claudische Haus ausgestorben. Obwohl der Hass gegen den Kaiser Nero weit verbreitet war, hatte sein Nachfolger, wer auch immer dies gewesen ist, das Problem, seine Macht als princeps legitimieren zu müssen, da er nicht aus der bisherigen kaiserlichen Familie stammte. Zumindest die vier direkt nach Nero an die Macht gekommenen Herrscher hatten nicht nur militärische Auseinandersetzungen für sich zu gewinnen, sondern auch die öffentliche Meinung. Dies beschreibt der Althistoriker K. Christ so:

> Alle Prätendenten identifizierten dabei stets ihre eigene Person und ihre Sache mit der res publica insgesamt, die deshalb auch zum bloßen Schlagwort absank. Trotz weiterer Überschneidungen und partieller Gemeinschaft in Werten und Formeln wählte sie im Übrigen jedoch durchaus verschiedene Leitbilder und Parolen, um die verschiedensten Gruppen an sich heranzuziehen. Im Zuge der Konflikte wurde nicht nur die Erinnerung an den Divus Augustus, sondern auch diejenige an den offiziellen Staatsfeind Nero beschworen.[272]

Auch Vespasian stellte keine Ausnahme dar. Er hatte es als späterer Partizipant in den Machtkämpfen umso nötiger, seinen Aufstieg zu legitimieren. Denn er musste im Unterschied zu seinen Vorgängern bzw. Konkurrenten die Notwendigkeit seiner Macht betonen, sonst wäre er lediglich wie einer seiner Vorgänger erschienen. Die Notwendigkeit der Legitimationspropaganda steigert sich noch, wenn man seine niedrigere Herkunft bedenkt. Alle drei Vorgänger waren bezüglich der familiären Herkunft von höherem Rang als Vespasian – Galba stammte beispielsweise aus einer senatorischen Familie und auch Otho und Vitellius waren nicht namenlos niedriger Herkunft[273]–,

---

[272] Kaiserzeit, 244.

[273] Vgl. Sueton, Galba 2; Otho 1–2; Vitellius 1. Nach ihm entstammte Otho einer alten und angesehenen Fürstenfamilie und Vitellius kam aus einer ehemaligen Königsfamilie der Aboriginer, die einst über ganz Latium geherrscht hätten.

während der Vater des Vespasian lediglich Schuldeneintreiber war. Sueton charakterisiert seine Herkunft als »das Flavische Geschlecht, das zwar von dunkler Herkunft und ohne irgendwelchen Glanz der Ahnen war«.[274]

Abgesehen von der niedrigen familiären Herkunft des Vespasian, wurde die politische Propaganda für den General Vespasian auch aus anderen Gründen bzw. Umständen notwendig. Ein gewichtiger Vorbehalt war die seit langem tradierte Befürchtung, dass das Römische Reich bald untergehen werde, während der Orient erstarke.[275] Diese Befürchtung existierte zwar bereits seit längerer Zeit, sie wurde allerdings (1) durch die häufigen Bürgerkriege, die nach dem Tod Neros ausgebrochen waren,[276] und (2) durch den Brand des Tempels des Jupiter, für den die Flavier verantwortlich gemacht wurden,[277] deutlich verstärkt. Da Jupiter bekanntlich als Garant für die römische Herrschaft angesehen wurde,[278] nun aber sein Heiligtum von der neuen Dynastie im Streit mit den Vitellianern in Brand gesetzt worden war, verbreitete sich die Befürchtung, die neue Dynastie würde ohne den Schutz des Jupiter lediglich eine Interimsdynastie vor dem Untergang des Reiches sein.

Es war daher für die Flavier herrschaftsnotwendig, dieser allgemeinen Stimmung entgegen die öffentliche Meinung zu ihren Gunsten zu wenden. Es galt also, alle möglichen Propagandamittel auszuschöpfen. Dass viele damals die Zeichen- und Wundergeschichten des Vespasian als göttliche Fügung interpretierten, braucht hier nicht wiederholt zu werden. Auch dass solche Geschichten absichtlich im ganzen Reich verbreitet wurden, versteht sich von selbst. Neben diesen Geschichten war es für die Flavier wichtig zu unterstreichen, dass ihre Herrschaft nicht von kurzer Dauer sein, sondern ewig dauern werde. Vespasian konnte mit seinen beiden erwachsenen Söhnen dafür die Voraussetzung liefern. Alle Kaiser vor ihm hatten in dieser Hinsicht Probleme, da es ihnen an leiblichen Söhnen fehlte. Aus diesem Grund verzichtete Musianus, ursprünglich ein Rivale, später aber ein Verbündeter Vespasians, darauf, selbst Kaiser zu werden, mit der Begründung: »[…] Sinnlos wäre es von mir doch wohl, auf den Thron nicht zu verzichten zugunsten eines Mannes, dessen Sohn ich im Fall eigener Regentschaft adoptieren würde […]«. (Tacitus, His. 2,77).

Die gesicherte Nachfolgerschaft des Vespasian musste aber wirkungsvoll propagiert werden, so dass die Langlebigkeit der Dynastie in den Köpfen der Bevölkerung verankert wurde. Darum finden sich neben Münzen, auf denen Vespasian und Titus bzw. seine beiden Söhne zusammen abgebildet

---

[274] Vespasian 1.
[275] Ausführlich dazu siehe Schwier, Tempelzerstörung, 231–250.
[276] Vgl. Tacitus, His. 1,11,3;3,49,1.
[277] Ausführlich dazu siehe Schwier, Tempelzerstörung, 267–283.
[278] Vgl. Schwier, Tempelzerstörung, 218–231.

sind,[279] zahlreiche Münzen aus der Zeit des Aufstiegs des Vespasian, auf denen das Wort »Ewigkeit«, AETERNITAS, unterstrichen ist. [280] Offensichtlich wurde mit diesen Münzen gegen die Befürchtung einer kurzen Dauer der Dynastie angekämpft.

Um diese Befürchtung endgültig aus der Welt zu schaffen, benötigte man weitere Maßnahmen, denn die Behauptung der Ewigkeit der Dynastie allein reichte dazu nicht aus. Eine der effektivsten Methoden bestand darin, die allgemeine Stimmung umzulenken. Dass der Orient erstarken würde, wurde auf Vespasian angewendet! Da Vespasian sich vom Zentrum des Reiches aus gesehen im Orient befand, war es geschickt, ihn als den von Osten kommenden Herrscher darzustellen. Der Grundstein dafür wurde von einem jüdischen Gefangenen gelegt, Josephus wendete eine in Judäa verbreitete Prophetie auf Vespasian an. Der Weltherrscher aus dem Osten ist kein anderer als Vespasian. Das Reich wird nun nicht zugrunde gehen, sondern von diesem Retter aus dem Osten wieder belebt werden. Der Erfolg in Judäa und der Sieg des Vespasian aus dem Osten über Vitellius im Westen passten gut in dieses Konzept. Der General aus dem Osten rettete das Reich vor dem Zerfall, indem er über die Vitellianer siegte und die Aufstände in Judäa, die seit Nero den Frieden des Reichs störten, niederschlug. Der Frieden im Reich wurde nun wiederhergestellt. Diesen Erfolg galt es in Judäa hoch zu preisen. Auch dafür wurde die Münzprägung als effektives Medium gewählt. Denn überall im ganzen Land sollte bekannt werden, dass die neue Dynastie den Frieden im Reich befestigt hatte. Eine ganze Reihe von Münzen wurde hergestellt, *iudaea capta* war die Botschaft. H. Schwier hat recht, wenn er sagt:

> Schon die Typenvielfalt, die Menge der Gold-, Silber- und Erzprägungen sowie der lange zeitliche Rahmen der Prägung indizieren die große propagandistische Bedeutung des römischen Sieges über Judäa.[281]

(aus Mattingly, Coins, PL II,31, die gleiche Abbildung findet sich auch bei T.V. Buttrey, Documentary Evidence for the Chronology of the Flavian Titulature, Meisenheim am Glan 1980, PL.2,2)

[280] Vgl. D. Mannsperger, ROM. ET AVG., Die Selbstdarstellung des Kaisertums in der römischen Reichsprägung, ARNW II,1, Berlin/New York 1974, 919–996.

[281] Tempelzerstörung, 289.

Dass kein anderer erfolgreicher Feldzug eines römischen Kaisers in diesem Ausmaß durch Münzprägungen gefeiert wurde,[282] deutet an, wie sehr diese Angelegenheit den Flaviern am Herzen lag.

Interessanterweise findet sich im 2 Thess ein Bild »des« souveränen Friedensstifters: »Er aber, der Herr des Friedens, gebe euch Frieden allezeit und auf alle Weise. Der Herr sei mit euch allen.« (3,16). Dieser Satz ist vor allem wegen der unstilistischen Wiederholung des Wortes »Frieden« auffällig. Es hätte ausgereicht, wenn der Satz einfach gelautet hätte: »Er aber gebe euch Frieden allezeit und auf alle Weise [...]« oder »Der Herr des Friedens sei mit euch allen.« (in diesem Fall ohne den vorherigen Satz). Mit der auffälligen Wiederholung wird signalisiert, dass hier der Akzent auf den Friedenstifter gesetzt wird. Durch die erklärende Apposition »der Herr des Friedens«, wird unterstrichen, mit wem man es zu tun bekommt, mit dem Herrn des Friedens! Frieden ist sein Ressort. Die dahinter stehende Botschaft ist m.E.: Kein anderer ist fähig Frieden zu geben, als er allein. Wo die Flavier mit dem Sieg über Jerusalem als Friedensstifter der Welt proklamiert wurden,[283] konnte dies als versteckte Kampfansage aufgefasst werden. Nicht die Flavier, sondern Jesus ist der wahre Friedensstifter, auf den man warten soll. Dass dieser Gegensatz vom Autor des 2 Thess beabsichtigt war, wird an der Beobachtung deutlich, dass im Unterschied zu 1 Thess, wo Gott selbst als für den Frieden zuständig dargestellt wird (5,23), hier in 2 Thess 3,16 Jesus als Herr des Friedens vorgestellt wird. Offensichtlich war es dem Autor des 2 Thess wichtig, Jesus als Friedensstifter darzustellen, dessen Parusie erwartet wird.

Eventuell ist an dieser Stelle die Beobachtung relevant, dass das in v11 Gesagte im Zusammenhang der Geschehnisse auffällig wirkt. Denn während in v10 bereits von jeglicher Verführung die Rede war, wurde in v11 noch einmal von der Sendung der Macht der Verführung gesprochen, als ob davon zuvor nicht die Rede gewesen sei.[284] Diese Auffälligkeit könnte jedoch ein Indiz für die Situierung der Geschehnisse in die Zeit der Flavier liefern. Die Flavier haben nicht allein ihren Aufstieg durch vielerlei Propaganda proklamiert, sondern auch nach ihrem Aufstieg fortwährend die Propagandamühle gedreht, um ihre Dynastie unanfechtbar zu machen. So

---

[282] Vgl. H.-G. Simon, Historische Interpretationen, 90.

[283] Es ist kein Zufall, dass die Flavier nach Josephus, Bell. 7,158ff die Kultgeräte von Jerusalem nach Rom gebracht und dort im neuerrichteten »Tempel des Friedens« aufgestellt haben (vgl. Theißen, Lokalkolorit, 275). Dadurch stellten sie sich als Friedensstifter der Welt dar.

[284] Vgl. J.E. Frame, Thess, 271: »The πέμπει refers not to the time previous to the revelation of the Anomos (ἐνεϱγεῖται) but, as ἔστιν intimates, the time when the apostasy comes and the Anomos is revealed.« Anders bei v. Dobschütz, Thess, 286; Malherbe, Thess, 425. Für sie sind zwischen den dargestellten Ereignissen keine Abläufe, sondern lediglich lose Bindungen erkennbar.

gesehen wird die Wiederholung in den vv10 und 11 verständlich. V10 bezieht sich dann auf die Propaganda während des Aufstiegs und v11 auf die nach dem Aufstieg der Flavier.

Zum Schluss ist eventuell der Kaiserkult in den Rahmen der flavischen Propaganda mit einzubeziehen.[285] Dieser wurde nicht nur in den Ostprovinzen gefördert, sondern auch im Westen, vor allem deshalb, weil es angemessen schien, die Loyalität der Provinzen mit seiner Hilfe zu sichern. Möglicherweise war es Vespasian selbst, der in Provinzen wie Baetica, Narbonensis und Africa (wohl auch im oberen Germanien) den Kaiserkult einführte.[286]

2.8 Die Situation des Verfassers des 2 Thess in seiner Umwelt (I)

Ist somit wahrscheinlich, dass der Aufstieg der Flavier hinter 2 Thess 2 steht, so fragt man sich weiter, wie sich der Verfasser bzw. seine Gemeinde zum Aufstieg der Flavier verhielt. Der Text vv9–12(13) liefert einige Ansätze zur Beantwortung dieser Frage. In den vv10 und 12 begegnen uns zwei Worte, die das Verhältnis des Verfassers bzw. seiner Gemeinde zu ihrer Umwelt erahnen lassen: ἀπολλυμένοις und κριθῶσιν. Die beiden Wörter bringen zum Ausdruck, wie es denjenigen, für die die Ankunft des Vespasian Auswirkungen haben wird, nach der Meinung des Verfassers ergehen wird: Sie werden »verloren gehen« und »gerichtet werden«. Es handelt sich dabei um sehr harte Worte. Wie sind sie zu erklären? Was hat die Wirkung der flavischen Propaganda mit dem Verfasser bzw. seiner Gemeinde zu tun?

Eine einzelne Information liefert unser Text. Diejenigen, für die die flavische Propaganda Auswirkungen haben wird, haben die Liebe der Wahrheit nicht angenommen (v10) oder der Wahrheit nicht geglaubt (v12). Was kann an dieser Stelle mit Wahrheit gemeint sein? Und was heißt hier »Liebe der Wahrheit«? Ein Hinweis für eine Antwort findet sich in v12, wo die Alternative zum Wahrheitsglauben »Wohlgefallen an der Ungerechtigkeit haben« ist. Das gleiche Wort ἀδικία begegnet auch in v10. Dort ist das Wort eher als Näherbestimmung des Betrugs aufzufassen, etwa »in jeglichem ungerechten Betrug«.[287] Stimmt das, dann bezeichnet das Wort »Ungerechtigkeit« den Inhalt der flavischen Propaganda, nämlich dass Vespasian der (ewige) Retter der Welt sei. Als »Wahrheit« ist dann verstanden, dass nicht Vespasian der

---

[285] Dazu s.u.

[286] Vgl. Levick, Vespasian, 75; K. Christ, Kaiserzeit, 257.

[287] Vgl. v. Dobschütz, Thess, 288; Bruce, Thess, 173: »ἀδικίας is another instance of the adjectival genitive.«

(ewige) Retter der Welt sein kann. Hierin ist also ein direkter Affront zu sehen. Die Frage ist, wie sich dieser Affront erklären lässt.

M.E. kann es weiterführen, sich vorzustellen, wie die Situation im Lichte der Tradition paulinischer Gemeinde in Makedonien erlebt wurde. Die Thessalonicher glaubten, dass Jesus bald (zurück)kommen werde. Seine baldige Parusie wurde in Thessaloniki erwartet. Diese thessalonische Tradition ist wohl in ganz Makedonien überliefert worden, und wenn unsere obige Diskussion stimmen sollte, dann erwarteten die Christen in Makedonien außerdem noch, dass der Gesetzlose, der von Paulus in Claudius gesehen wurde, nach Nero kommen würde und erst anschließend Jesus in seiner Parusie. Es muss daher für die Christen in Makedonien unerträglich gewesen sein, wenn die Flavier im Zuge ihres Aufstiegs die Ewigkeit ihrer neuen Dynastie propagierten und sich als Retter der Welt darstellten. Für die Christen in Makedonien war nicht Vespasian, sondern Jesus der Retter der Welt. Und er war als Retter der Welt noch nicht gekommen, sondern er wurde noch erwartet! Die Flavier waren für sie nicht die Retter der Welt, die Frieden stifteten, sondern lediglich Tempelfrevler und -zerstörer. Darum war die Propaganda der Flavier für sie »Betrug« und »Lüge«. Die »Wahrheit« war für sie einzig die noch ausstehende Parusie des Herrn.[288] Von daher wird verständlich, warum der Glaube an die Wahrheit zugleich Heil (v10) bedeutete, und der Nichtglaube an die Wahrheit »verloren gehen« oder »gerichtet werden« zur Folge hatte.

Wie aber ist dieser Konflikt von der Seite der Flavier aus vorzustellen, die im Gebiet der Adressaten des 2 Thess konkret durch ihre römischen Behörden vertreten waren? Hatten sie Aggressionen gegenüber den Christen, die nicht Vespasian sondern einen anderen Herrn erwarteten? Diese Frage lässt sich positiv beantworten. Die Flavier beabsichtigten ja gerade der Weltuntergangsstimmung im Reich[289] entgegenzutreten, indem sie die Ewigkeit ihrer Dynastie betonten. Wenn dagegen eine kleine Gruppe von Christen bekannte, dass sie statt Vespasian einen anderen Herrn erwarteten, der dann auch noch diese jetzige Welt zu Ende bringen sollte, werden sie von Seiten der römischen Behörden kaum willkommen geheißen worden sein. Vielmehr werden sie wohl aufgefordert worden sein, sich von ihrer Überzeugung zu distanzieren und unter besondere Überwachung gestellt

---

[288] Der Begriff »Wahrheit« wird unterschiedlich interpretiert. Einige Auffassungen seien daher hier zitiert: »The antithesis of ›truth‹ and ›unrighteousness‹ intimates that ›truth‹ is regarded move on the moral than on the purely intellectual side, the truth of God, Christ, or the Gospel as preached by Paul.« (J.E. Frame, Thess, 272); »Wahrheit markiert hier nicht den Weg zu Erkenntnis und Wissen im profanen Verständnis, sondern sie ist Wahrheit, die von Gott ausgeht, die durch ihn autorisiert ist und nun in der Gemeinde vermehrt wird. Sie ist Heilswahrheit, ist präsent und angeboten, sie kann daher angenommen, ›ergriffen‹ werden.« (W. Trilling, 2 Thess, 110).

[289] Vgl. Schwier, Tempelzerstörung, 231–250.

worden sein. Vielleicht haben die harten Worte wie »verloren gehen« und »gerichtet werden« (vv10 und 12) hierin ihren Ursprung. Die Christen bekamen eventuell negative Einstellungen der römischen Behörden und der Massen, die der lokalen politischen Führung gehorchten, zu spüren. Wenn wir 2 Thess 1,5–10, besonders darin die vv6 und 8, hier mit einbeziehen, dann sind eventuell einige Gruppen von Christen von Seiten der Flavieranhänger (den römischen Behörden und ihnen gehorchende Massen) wegen ihrer Glaubensüberzeugung bedrängt und vielleicht sogar verfolgt (v4) worden. Die harten Worte in v8 dürften dann die Antipathie von Christen gegenüber ihren Bedrängern zum Ausdruck bringen. Aber solange die Christen sich nicht bemerkbar machten, waren sie von Seiten der Flavieranhängern nicht in Gefahr. Ein konkreter Anlass sich in Gefahr zu bringen, kann eventuell im Text erkannt werden.

Es handelt sich um den Ausdruck »die Liebe der Wahrheit«[290] in 2 Thess 2,10. Die Liebe kann hier nicht von denjenigen kommen, die die Wahrheit nicht angenommen haben.[291] Es ist auch wenig wahrscheinlich, dass sie einmal die Wahrheit angenommen haben und als abgefallene Christen nun die Liebe zu ihr ablehnen. Vorstellbar ist vielmehr, dass die Liebe allein von der Seite der Wahrheit herkommt,[292] d.h. mit der Liebe der Wahrheit könnte die Zuwendung der Christen zu ihren Mitmenschen, ihre Mission,[293] gemeint sein: Die Christen in Makedonien haben sich bemüht, ihre Umwelt zu missionieren, indem sie ihre Glaubenshoffnungen erläuterten.[294] Dafür spricht indirekt auch 2 Thess 3,1, wo die Mission des Paulus erwähnt wird. Der Verfasser könnte an dieser Stelle möglicherweise seine Mission in sein

---

[290] Die Idee von v.Dobschütz, Thess, 289, es handele sich hier um ein Wortspiel hinsichtlich des Ausdrucks »Verführung der Ungerechtigkeit«, wird zutreffend von W. Trilling, 2 Thess, 111, zurückgewiesen. Inhaltlich bilden die beiden Ausdrücke zwar ein Gegensatzpaar, formal aber kaum.

[291] Für v.Dobschütz, Thess, 289, ist die »Liebe der Wahrheit« aber »Empfänglichkeit für die Wahrheit als Gabe Gottes«, also von Seiten des Empfängers her kommend.

[292] In Anlehnung an Hofmann und G. Wohlenberg räumte v.Dobschütz, Thess, 289, ein, dass »sowohl der doppelte Artikel als auch der Aorist auf etwas konkretes, einen geschichtlichen Akt hinweisen«.

[293] M.E. wollen viele Exegeten die ›Liebe der Wahrheit‹ auf eine komplizierte Art und Weise interpretieren. So z.B. J.E. Frame, Thess, 270f: »The phrase τὴν ἀγάπην τῆς ἀληθείας, only here in the Gk Bib., suggests that God had sent them the divine power (Christ or the spirit) to create in them a love for the truth of God (Rom 1^{25}), or Christ (2Cor 11^{10}), or the gospel (Gal $2^{5.14}$ Col 1^{5}), and that they had refused to welcome the heavenly visitor.« oder W. Trilling, 2 Thess, 110: »Es liegt nahe, hier eine offene, einladende Formulierung zu vermuten, die auf den Menschen allgemein, auf seine ethische Bindung an Wahrheit, seine Sehnsucht nach ihr oder auf seine Verpflichtung zur Wahrheitssache blickte.«

[294] Die Missionstätigkeit in Makedonien ist bereits aus dem 1 Thessalonicherbrief (1,8) bekannt. Die junge Gemeinde Thessaloniki missionierte schon kurz nach dem plötzlichen Weggang des Paulus von Thessaloniki. Und die Gemeinde in Philippi war an der paulinischen Mission durch mehrfache finanzielle Unterstützung tatkräftig beteiligt.

Paulusbild hinein projiziert haben. Dass sich die Christen durch ihre Mission in der Öffentlichkeit bemerkbar gemacht haben dürften, versteht sich von selbst. Damit konnten sie sich in Gefahr bringen. Außerdem dürfte die Mission von Christen kaum Erfolg gehabt haben, wie v10 vermuten lässt, (die Liebe der Wahrheit wurde ja nicht angenommen!). Im Gegenteil, zur großen Sorge der Christen dürfte die Propaganda der Flavier viel Erfolg für sich verbucht haben, denn die Kräfte des Irrwahns wurden von Gott zugelassen (geschickt)! Es handelt sich an dieser Stelle wohl um die Widerspiegelung einer realen Situation.

Dieser starke Gegensatz zwischen der flavischen Propaganda und der christlichen Mission der Wahrheit wird m.E. in den vv9–12(13) durch das Begriffsspiel mit dem Gegensatzpaar[295] »Lüge und Wahrheit«[296] gut reflektiert: Die Ankunft des Gesetzlosen erfolgt »gemäß der Wirksamkeit des Satans [...] mit jeder Machttat und mit Zeichen und Wundern *der Lüge*« (v9). Den Ungläubigen sendet »Gott eine wirksame Kraft des Irrwahns, dass sie *der Lüge* glauben« (v11). Sie gehen verloren, weil »sie die Liebe *der Wahrheit* zu ihrer Errettung nicht angenommen haben« (v10). Alle werden gerichtet werden, »die *der Wahrheit* nicht geglaubt, sondern Wohlgefallen gefunden (haben) an der Ungerechtigkeit« (v12). Über die Glaubenden aber sagt der Briefschreiber: »Wir aber müssen Gott allezeit für euch danken, vom Herrn geliebte Brüder, dass Gott euch von Anfang an erwählt hat zur Rettung in Heiligung des Geistes und im Glauben an *die Wahrheit*« (v13).

In einem nächsten Schritt ist zu überprüfen, ob sich diese allein aus dem Text gewonnene Erkenntnis mit dem, was wir über Makedonien aus der damaligen Zeit wissen, vereinbaren lässt. Wir konzentrieren uns dabei auf zwei Zentren Makedoniens, nämlich auf Thessaloniki und Philippi.

---

[295] Möglicherweise legte der Verfasser des 2 Thess diesem Wechselspiel die Sprache von Röm 1,23ff zugrunde, wo von einer Vertauschung des Unvergänglichen mit dem Vergänglichen durch die Menschen die Rede ist, in v25 begegnet sogar das Begriffspaar *Wahrheit/Lüge*. Wenn die Vertauschung in v23 eventuell mit Kaisern zu tun haben könnte, die in den Waffen der Tier-Figuren symbolisiert sind, so wird die Beziehung des Textes aus dem Römerbrief zu 2 Thess 2 noch deutlicher festzustellen sein. Der Verfasser des 2 Thess hätte dann die scharfe Beobachtung des Paulus aus dem Römerbrief weiter entwickelt. Auf eine Verwandtschaft der beiden Texte verwies bereits Bornemann, Thess, 374.

[296] Zu Recht sah F. Laub, Paulinische Autorität, 401–417, besonders 413, dass das Wort »Wahrheit« an dieser Stelle als Gegenbegriff zu »Lüge« gebraucht wird. Außerdem kann es Laub zu Folge als identisch mit dem Begriff »Evangelium« gelesen werden, im Unterschied zu dem Gebrauch dieses Begriffs beim (echten) Paulus als »einer wirkenden Macht«, »der der Glaubende sich überantwortet und die sein Leben bestimmt.« Allerdings macht er nicht deutlich, wie dann »Wahrheit« sowie »Evangelium« genau zu definieren sind. Für Best, Thess, 309, sind die Ausdrücke »Wahrheit« und »Lüge« damit zu erklären, »that neither does truth mean truth in general (intellectual or philosophical truth) but the truth of the gospel, nor is wickedness misbehaviour in general but the choice of satan instead of God (cf. Rom 1,18ff)«.

Die Stadt Thessaloniki war traditionell »eine bedeutende Handelsstadt«.[297] Sie verfügte über einen Hafen, von dem aus Schiffsverbindungen in die Ägäis bestanden und stellte als Hauptstadt Makedoniens einen Verkehrsknotenpunkt dar, von dem aus Straßen in fast alle Richtungen des Landes Makedonien führten. Mit dem Bau der Via Egnatia gewann die Stadt zunehmend überregionale Bedeutung als wichtiger Stationspunkt im regen Verkehr zwischen Rom und den Ostprovinzen. Besonders die Verbindung nach Rom war so günstig, dass Thessaloniki in der Geschichte häufig als Exilsort gewählt wurde, denn Rom war von Thessaloniki aus relativ schnell und sogar im Winter zu erreichen.[298]

Diese beiden Wesenszüge der Stadt Thessaloniki haben im Lauf der Geschichte ihre Bewohner gelehrt, dass die Entwicklung ihrer Stadt als Handelsmetropole eng mit der politischen Sicherheit in Rom sowie ihrer Loyalität gegenüber den Kaisern zusammenhängt, zumindest solange sie dem römischen Reich unterstanden. Die Stadt wurde zwar zusammen mit dem Land Makedonien durch Verwicklungen in frühere Bürgerkriege in Rom in Mitleidenschaft gezogen, verdankte aber ihren Sonderstatus als *civitas libera* ihrer Loyalität gegenüber Caesar. Es ist daher gut vorstellbar, dass die politischen Turbulenzen in Rom nach dem Tode des Nero auch die Stadt Thessaloniki in Mitleidenschaft ziehen konnten und aufgefangen werden mussten. Jede machtpolitische Veränderung in Rom dürfte auf Grund der guten Verkehrsanbindung in Kürze auch in Thessaloniki bekannt geworden sein.[299]

Als Vespasian sich in den Jahren 68/9 endlich in den Wirren Roms durchsetzen konnte, war es für die Stadt Thessaloniki höchste Zeit, ihrerseits zu handeln, z.B. indem sie ihre Zustimmung sowie Begeisterung gegenüber dem neuen Caesar Vespasian nach außen hin zeigte. Das war aus zwei Gründen besonders nötig. (1) In Thessaloniki waren keine Truppen stationiert,[300] so dass die Stadt selbst für den Aufstieg des Vespasian keinen nennenswerten Beitrag hatte leisten können. Die Stadt befand sich in der Situation, ihre (wohl verspätete) Zustimmung für die Flavier öffentlich besonders betonen zu müssen.[301] (2) Vespasian, der das seit Nero zerrüttete

---

[297] Ch. v. Brocke, Thessaloniki, 74.

[298] Ch. v. Brocke, Thessaloniki, 108. Die Wahl Thessalonikis als Exilsort durch Cicero geschah nach v. Brocke in der Tat aus Berücksichtigung dieser günstigen Verkehrslage der Stadt (vgl. ebd. Anm. 19).

[299] Selbst die Flavier taten sich am Anfang schwer, eine klare Politik einzuschlagen. Titus war noch auf dem Weg nach Rom, um dem neuen Kaiser Galba zu huldigen, als er von dessen Tod erfuhr (Tacitus, His, 2,1).

[300] Vgl. Ch. v. Brocke, Thessaloniki, 83f. Seit Mitte des 1. Jh. n.Chr. (seit der Gründung der neuen Provinzen Thrakien und Moesien) »befand sich Makedonien nicht mehr in einer gefährdeten Grenzlage.«

[301] Diese Situation wird m.E. durch die Tatsache veranschaulicht, dass in der Endphase des jüdischen Kriegs »zahlreiche Freiwillige aus Italien« beteiligt waren, die »sich durch ihren Einsatz den Beifall des neuen princeps und seines Sohnes verdienen wollten« (H. Bengtson, Flavier, 69).

Reich, nicht nur politisch, sondern auch finanziell wieder aufzurichten versuchte, benötigte dringend Geld. Vor diesem Hintergrund hob er für viele Städte Griechenlands die Steuerfreiheit wieder auf, die der Philhelleniker Nero verliehen hatte. Seine Maßnahmen, Geld aufzutreiben, beschränkten sich allerdings nicht auf die Städte in Griechenland. Auch die Gemeinden Rhodos, Byzantion und Samos, die reich waren, verloren auf Anordnung des Vespasian ihre Steuerfreiheit. Genauso erging es einigen Gemeinden Lykiens.[302] Der Stadt Thessaloniki blieb zu ihrem großen Glück ihr Sonderstatus erhalten, die Veränderungen in den die Stadt umgebenden Regionen dürften die Stadt jedoch dazu veranlasst haben, ihr gutes Verhältnis zu Rom noch stärker als bisher zu fördern, indem sie ihre Loyalität nach außen hin zeigte, um auf keinen Fall ihren Sonderstatus doch noch zu verlieren.[303]

Ein vielversprechendes Mittel der Demonstration von Zustimmung, Begeisterung und Loyalität gegenüber dem neuen Kaiser war die Förderung des Kaiserkultes.[304] Besonders für die griechischen Städte und Provinzen stellte der Kaiserkult eine Art System dar, mit dessen Hilfe das Leben der Bevölkerung mit dem Herrscher in Verbindung gebracht werden konnte. So zeigten die Städte und Provinzen z.B. durch großzügige Votivgaben und die Errichtung von Tempeln für den Kaiser zur Förderung des Kaiserkults ihre Loyalität gegenüber dem Kaiser. Im Gegenzug dazu verlieh oft der Kaiser Begünstigungen an die Städte und Provinzen. Obgleich es dabei in allererster Linie um Politik ging, schlossen diese Vorgänge das Leben in den Provinzen überhaupt sowie die dortige Religion und Kultur ein. Denn der Kaiserkult umfasste nicht nur Opfer, sondern auch mehrere Tage dauernde Festveranstaltungen, Spiele und Prozessionen, die erst mit Hilfe und aktiver Beteiligung der städtischen bzw. provinzialen Bewohner durchgeführt werden konnten. Da der Kaiserkult normalerweise an den bestehenden Götterkult angegliedert wurde, war auf Seiten der Bevölkerung wenig Abneigung gegen ihn, sondern eher Zustimmung zu finden, da der Kaiserkult ihr gesellschaftliches Leben bereicherte.

Es ist daher gut vorstellbar, dass die Stadt Thessaloniki den Kaiserkult aktiv beförderte, um sich dadurch der durch den Aufstieg Vespasians veränderten Situation anzupassen. Weil die Stadt Thessaloniki direkt an der Hauptverkehrsstraße zwischen Rom und dem Osten lag und jede Nachricht aus Thessaloniki ohne große Mühe schnell nach Rom gelangen konnte,

---

[302] Vgl. H. Bengtson, Flavier, 99.

[303] Es war bereits eine etablierte Tradition der Thessalonicher, dass sie um ihres Wohlseins willen ihre Loyalität zum Ausdruck brachten, indem sie in verschiedener Weise ihre römischen Wohltäter verehrten. Vgl. Hendrix, Honor, besonders 253f.

[304] Über den Kaiserkult s. Price, Rituals, 234ff.

dürfte sich die Stadt um so mehr bemüht haben, mit Hilfe des Kaiserkultes ihre romtreue Haltung zu demonstrieren.

Der Stadt Thessaloniki dürfte es nicht schwer gefallen sein, eine positive Einstellung gegenüber den Flaviern zu zeigen. Vespasian war Augustus,[305] dem Wohltäter des Landes Makedonien sowie der Stadt Thessaloniki, in vielerlei Hinsicht sehr ähnlich. Wie Augustus beendete auch er den jahrelang andauernden Bürgerkrieg; genauso wie Augustus sich durch seinen Sieg bei Actium als Friedensstifter erwies, wurde auch Vespasian mit dem Erfolg über Judäa zum Retter des Imperiums und zum Friedensstifter nach dem Bürgerkrieg. Auch dass Vespasian in Alexandrien zum princeps ausgerufen worden war, weist Ähnlichkeit mit Augustus auf, der einst mit dem Sieg über Antonius und Kleopatra zum Alleinherrscher des Imperiums aufgestiegen war. Zufälligerweise war der Ort des flavischen Aufstiegs in Ägypten dort lokalisiert, wo der Kaiser Augustus seinen endgültigen Sieg erlangt hatte. Auch das Jahr der Zerstörung Jerusalems entspricht wie durch Zufall dem 100-jährigen Jubiläum des augustäischen Sieges in Actium.

Es ist bekannt, dass die Städte in den Provinzen in Sachen Kaiserkult regelrecht wetteiferten, um die Aufmerksamkeit und damit die Gunst des Kaisers zu gewinnen. So zeigten z.B. im Westen Baetica und Narbonensis deutlichere Zeichen der Romanisierung als Tarraconensis und Lusitania, wo der Kult seit dem Tod des Augustus bereits existierte. Im Jahr 77 spendete die Provinz Lusitania 5 Pfund Gold an Titus, den Sohn des Kaisers, wohl in Form einer Büste. Auch im Osten wurden frühe Widmungen an den Kaiser registriert, so z.B. in Pamphylia, Rhodos, Lesbos und Bithynia. Auch in Cestrus in Cilicia wurde vom Volk eine Widmung für Vespasian im Tempel aufgestellt.[306]

Auch für die Stadt Thessaloniki dürfte die Situation nicht anders gewesen sein. Um die Gunst der herrschenden Schichten Roms zu erlangen, versuchten auch Städte, den Kaiserkult voranzutreiben. Um mit Price zu sprechen: »The cities were very jealous of their status and titles, and the imperial cult was absorbed into their competitiveness, whose scope it greatly increased.«[307] Besonders von den Städten, die ihren Sonderstatus verloren hatten, ist Neid gegenüber Thessaloniki zu vermuten, der sie veranlasst haben könnte, die Stadt Thessaloniki aufmerksam zu beobachten, um dort eventuelle negative Stimmungen gegen Rom ausfindig zu machen. Tatsächlich ist das Beispiel einer Gemeinde namens Cyzicus bekannt, die

---

[305] Vgl. K. Christ, Kaiserzeit, 260f; B. Levick, Vespasian, 73. Nach K. Christ war es die Absicht der Flavier, sich öffentlich als dem Augustus, dem Gründer des römischen Kaiserreiches, ähnlich darzustellen.

[306] Vgl. B. Levick, Vespasian, 75.

[307] Rituals, 64.

wegen Vernachlässigung des Kaiserkultes – sie hatte den Tempel für Augustus nicht fertig bauen können – ihre Freiheit teilweise verloren hat.[308]

In dieser Situation hat sich die Stadt Thessaloniki vielleicht noch etwas anderes einfallen lassen, um ihre Loyalität gegenüber Rom zu demonstrieren. Für diesen Zweck geeignet erscheint der Beschluss, gegen Dissidenten des Kaiserkultes[309] härter vorzugehen, damit sich das im gesamten Imperium herumspräche. Dass im 2 Thess 1 von Bedrängnis und Verfolgung die Rede ist, dürfte kaum Zufall sein. Allerdings ist schwer vorstellbar, dass die Stadt Thessaloniki ohne Aufweis eines konkret vorzuwerfenden Tatbestandes gegen Dissidenten vorgegangen ist, nur weil sie anders dachten. Es müssen konkrete Tatbestände vorgelegen haben, wenn sich die Stadt für ihre Vorgehensweise rechtfertigen wollte.

Jedenfalls ist gut denkbar, dass in Thessaloniki für Dissidenten in Bezug auf den neuen Herrscher in Rom besondere Vorsicht geboten wurde. Für die Stadt war der flavische Frieden in Rom nämlich von politischer und wirtschaftlicher Bedeutung. Jegliche Bedrohung des Friedens sowie ihres privilegierten Status als *civitas libera* war daher von vornherein auszuschalten.

Diese Dynamik ist deutlich in der Geschichte der Stadt Thessaloniki zu beobachten. Nach Apg war die Anklage gegen die dortigen Christen ein Politikum (Apg 17,7): »[...] Und diese handeln gegen des Kaisers Gebote und sagen, ein anderer sei König, nämlich Jesus.« Dieser Anklagepunkt besagt indirekt, wie loyal die Stadt Thessaloniki traditionellerweise gegenüber Rom eingestellt war. Es wird deutlich, dass sie keine Störung des politischen Friedens dulden würde, der auf dem römischen Kaiser beruhte (Im Osten ist das Wort *basileus* als Titel für den Kaiser üblich.).[310]

Vieles von dem, was eben über Thessaloniki gesagt wurde, gilt auch für Philippi. Auch diese Stadt ist als Verkehrs- und Handelszentrum immer romtreu gewesen. Für die Behörden in Philippi war der Umgang mit Christen bereits in der Anfangszeit der Gemeindegründung konfliktbeladen gewesen, wie wir am Anfang unserer Arbeit kurz besprochen haben. Christen, ausgezeichnet durch ihre überregionale Verbundenheit mit anderen Christen sowie ihrem anderen Zugehörigkeitsverständnis (zur himmlischen Bürgerschaft),[311] haben sich im Lauf der Geschichte gewiss weiter verdächtig

---

[308] Price, Rituals, 83.

[309] Vgl. Ascough, Associations, 11: »A Roman citizen who manifested an obvious lack of concern for the imperial cult, who roundly refused to participate in it himself or who encouraged others to abandon this type of worship was considered to have demonstrated political dissidence to state authority and antagonism to the Emperor's sacrosanct person. The dissident could only expect arrest, trial and swift condemnation.«

[310] Vgl. R. Pesch, Die Apostelgeschichte, EKK Bd. V.2, Neukirchen u.a. 1986, 124.

[311] Vgl. Bormann, Philippi, 217–224.

gemacht. Sie zeigten in einer Zeit, in der die politischen Turbulenzen langsam zu einem Ende kamen, eine romkritische Haltung und erwarteten noch immer einen anderen Herrn als den neuen Retter des Reichs. Sobald ihre romkritische Haltung nach außen bemerkt wurde, ist gut vorstellbar, dass die Behörden Gegenmaßnahmen einleiteten. Dass dies Auswirkungen auf die gesamte Bevölkerung hatte, versteht sich von selbst (Bedrängnisse nach 2 Thess 1,6).

F. Danker und R. Jewett haben im Lichte der griechisch-römischen Literatur, welche das antike Reziprozitätssystem des Gebens und Nehmens reflektiert, die linguistischen Schüssel des 2 Thess untersucht und sind zu dem Schluss gekommen, dass Jesus im 2 Thess als apokalyptischer Wohltäter dargestellt wird.[312] In einer hellenistischen Gesellschaft, egal ob in einer Stadt oder Provinz, wurden die repräsentativen Wohltäter als Herrscher im Stile der römischen Kaiser angesehen. In Makedonien, besonders in Thessaloniki, haben wir ein gutes Beispiel dafür. Der Kaiser Augustus wurde dort bereits zu Lebzeiten in hohem Maße verehrt. Ihm wurde ein Tempel (Caesareum) errichtet.[313] Wenn der Verfasser des 2 Thess Jesus als einen apokalyptischen Wohltäter, m.a.W. als größten unter den Wohltätern, beschrieben haben sollte, stünde sein Jesusbild in Makedonien zwangsläufig im Widerspruch zum Kaiserbild, der ebenfalls als größter Wohltäter gesehen werden wollte.

2.9 Die Parallelität der Situation in Syrien und Makedonien

Die Ergebnisse unserer bisherigen Erörterungen finden in den beiden Evangelien Mk und Mt gleich zweifache Unterstützung.

G. Theißen hat in *Gospel Writing and Church Politics* wahrscheinlich gemacht, dass die Evangelienschreibung sowohl des MkEv als auch des MtEv in einem engen Zusammenhang mit dem Aufstieg der Flavier stand.

Das MkEv kann Theißen zufolge als Anti-Evangelium zu den »guten Nachrichten« vom Aufstieg der neuen Kaiser aufgefasst werden.[314] Besonders gegen die Propaganda, dass die Flavier den in Palästina erwarteten Messias verkörperten, erhob der Evangelist seine Stimme.

(1) Absichtlich gebrauchte er den Begriff εὐαγγέλιον für seine Schrift. Sein Evangelium beginnt mit der programmatischen Aussage: Dies ist der Anfang des εὐαγγέλιον von Jesus Christus (1,1). Er definierte den Inhalt dieses Evangeliums als bevorstehenden Machtwechsel: »Die Zeit ist erfüllt, und das Reich Gottes ist herbeigekommen«(Mk 1,15), der

[312] Apokalyptic Benefactor, 486–495, dort 486f.
[313] Vgl. Ch. v. Brocke, Thessaloniki, 59f, 138ff.
[314] Die folgende Ausführung basiert auf G. Theißen, Gospel Writing, 16–28.

Glaube an dieses εὐαγγέλιον wurde von Markus mit dem Eintreten in die Leidensnachfolge (8,35), Besitzverzicht (10,28) und der Bereitschaft, verfolgt zu werden (13,10), verbunden. Auch die Zugehörigkeit der Passionsgeschichte zu diesem εὐαγγέλιον wird vom Evangelisten betont: Die Geschichte von der Salbung des Körpers Jesu (14,9), soll nämlich überall zusammen mit dem εὐαγγέλιον erzählt werden.[315] Das εὐαγγέλιον der mk Gemeinde, das über den paradoxen Weg Jesu zur Macht berichtet, steht also den εὐαγγέλια vom Aufstieg der Flavier gegenüber.[316]

(2) Jesus wird im MkEv an manchen Stellen als »counter-image« zum Bild der Flavier dargestellt: Wie Vespasian mehrere Stufen von Proklamationen zu durchlaufen hatte (Orakel und Prophetie in Alexandrien/-Anerkennung im Senat), wurde Jesus im MkEv mehrfach als Sohn Gottes proklamiert (in Zusammenhang mit Taufe, Verklärung und am Kreuz).[317] Genauso wie Wundergeschichten von Vespasian erzählt wurden, die seine Legitimität bestätigen sollten, sind auch von Jesus Wunder- und Zeichengeschichten im MkEv zu finden. Jesus zeigt sich an diesen Stellen als den politischen Herrschern überlegen.[318] Gebrauchte Vespasian Aussprüche von Prophetie und Orakel, um seinen Anspruch auf Herrschaft zu sichern, so sind die Vorhersagen der Propheten nach dem MkEv in Jesus erfüllt. Das gilt für die alten Propheten, besonders aber für die zeitgenössische Prophetie des Täufers.[319]

(3) Diejenigen, die sich von dem neuen Herrscher beeindrucken ließen und darüber nachdachten, ob eine größere Verheißung auf ein glückliches Leben doch nicht bei diesen Herrschern lag, warnt das MkEv, indem es voraussagt, dass in den letzten Tagen Pseudopropheten sowie -messiasse die Gläubigen verführen werden (13,21).[320] Der Evangelist macht seine Botschaft klar:

> The ruler to whom alone the Christian community is bound is a counter-image to the political rulers. He will come soon and be revealed in his glory. The present generation will live to see it take place (13:10). Such a prophecy implies that the current power structures will come to an end.[321]

---

[315] Ebd. 19f.
[316] Ebd. 20.
[317] Ebd. 20f.
[318] Ebd. 21.
[319] Ebd.
[320] Ebd.
[321] Ebd. 22.

Das MtEv stellte nach Theißen eine Orientierungshilfe für die Christen dar, die nach dem Krieg in einer Situation leben mussten, in der sowohl jüdische als auch heidnische Hoffnungen auf einen neuen Herrscher aus dem Osten sowie auf das Ende der römischen Herrschaft hartnäckig nachwirkten.[322] Im Unterschied zu seinem Zeitgenossen Josephus, der die jüdischen messianischen Erwartungen auf die Flavier übertrug, schlug der Evangelist einen anderen Weg ein. Er war überzeugt, dass nicht in den Flaviern sondern in Jesus die jüdischen und heidnischen Hoffnungen in Erfüllung gegangen waren. Diese Einschätzung wird im MtEv folgendermaßen[323] unterstrichen:

1) Die Geschichte von den Magiern aus dem Osten zeigt, dass in Jesus die heidnischen Hoffnungen verwirklicht worden sind, wobei ihre Hoffnungen wiederum durch die jüdischen verbessert und präzisiert werden mussten. Sie finden zwar mit ihrer Wahrsagekunst den Weg bis nach Jerusalem, den Geburtsort des neuen Königs in Jerusalem mussten sie jedoch durch Schrift und Schriftgelehrte erfahren. Gleichzeitig illustrierte die Kindermordgeschichte in Bethlehem, welch gefährliche Folgen solche Orakel und Zukunftsvorhersagen haben können. Dass das MtEv einen neuen Herrscher aus dem Osten proklamierte, war daher politisch gesehen ein hoch explosives Unterfangen, auch wenn der Evangelist Jesus als einen ganz anderen Herrscher (»a different ruler«) proklamierte.

2) Dieser Herrscher entsprach in vielerlei Hinsicht dem erwarteten jüdischen Messias. Mt bestätigte das durch mehrfache Benutzung der Schriften (in den sogenannten Erfüllungszitaten, in denen der neue Messias durch Jungfrauengeburt, Bethlehem als Geburtsort, die Flucht nach Ägypten und seine Rückkehr aus Ägypten klar identifizierbar ist). Die Botschaft ist klar: Kein anderer als Jesus allein ist der erwartete Messias aus dem Hause Davids, den man im ganzen Osten erwartete.

3) Mt definierte die Messianität Jesu allerdings neu. Er stellt keine Bedrohung der Heiden dar, sondern er ist das Licht der Welt; er ist kein militärischer Held, sondern nimmt Schwachheit auf sich und trägt Krankheiten (8,17), er richtet mit Gerechtigkeit ohne Streit und Geschrei (12,17–21) und zieht in Jerusalem nicht als Eroberer, sondern als sanftmütiger König ein. Sowohl heidnische als auch jüdische Erwartungen werden somit im

---

[322] Ebd. 62f.

[323] Ebd. 55–60.

MtEv korrigiert und verändert, der Erwartete ist kein militärischer König sondern ein ethischer Gesetzgeber und weiser König.[324]

Es ist gewiss kein Zufall, dass sich ungefähr zur gleichen Zeit die Christen sowohl in Makedonien als auch in Syrien mit dem Aufstieg der Flavier und dessen Wirkungen auseinander setzten. Ebenfalls nicht zu vernachlässigen ist die Tatsache, dass gleich zwei Evangelien mit einem zeitlichen Abstand von etwa 10 Jahren gegen die flavische Propaganda Stellung beziehen, woran deutlich erkennbar wird, wie sehr der Aufstieg der Flavier über Jahrzehnte hinweg das Leben der Christen in Syrien beeinflusst haben muss. Dass dies nicht allein auf den syrischen Raum beschränkt blieb, liegt auf der Hand. Auch größere Gebiete Makedoniens, besonders die Städte, welche mögliche Abfassungsorte des 2 Thessalonicherbriefs sind, stellten wichtige Durchgangsstationen auf dem Weg von Rom in den Osten (z.B. nach Syrien) dar. Ganz gewiss existierte zur Zeit des flavischen Aufstiegs und danach eine Beziehung zwischen der Situation in Makedonien und derjenigen in Syrien.

Nicht allein inhaltlich, sondern auch sprachlich, besteht eine gewisse Parallelität zwischen den beiden Evv und dem 2 Thess. Sprachliche Gemeinsamkeiten zwischen dem MkEv und dem 2 Thess, in Bezug auf eschatologische Rede, sind:

a) ὑπομονῆς (2 Thess 1,4)/ὑπομείνας (Mk 13,13),

b) πρῶτον (2 Thess 2,3/Mk 13,10),

c) ἐπισυναγογῆς/ἐπισυνάζω (2 Thess 2,1/Mk 13,27),

d) θροεῖσθαι/θροεῖσθε (2 Thess 2,2/Mk 13,7),

e) σημείος και τέρασιν/σημεῖα και τέρατα (2 Thess 2,9/Mk 13,22),

f) πλάνης/πλανήσῃ (2 Thess 2,11/Mk 13,5f. 22),

g) εἵλατο (2 Thess 2,13)/ἐκλεκτούς (Mk 13,27).

Angesichts dieser vielen Gemeinsamkeiten vertritt beispielsweise ein Exeget wie L. Hartmann die Ansicht, dass der Verfasser des zweiten Thessalonicherbriefes eine Version der synoptischen Apokalypse gekannt haben

---

[324] Ebd. 61.

muss.[325] Für mich bleibt bei dieser Einschätzung allerdings wenig verständlich, dass man zwar literarische Gemeinsamkeiten zwischen beiden Texten anerkennt, aber nicht weiter fragt, ob vielleicht ein gemeinsamer geschichtlicher Hintergrund existiert.[326] Es ist bekannt, dass hinter der synoptischen Apokalyptik die Erfahrung des (bevorstehenden?) Falls des Jerusalemer Tempels steht. D.h. die Schilderungen Mk 13 sind sachlich eng mit dem Aufstieg der Flavier verbunden. Wenn 2 Thess 2,1–12 erhebliche Gemeinsamkeiten mit Mk 13 (bzw. Mt 24) aufweist, jedoch keine literarische Abhängigkeit vorliegt, so ist logischerweise zu fragen, ob die beiden Texte eventuell von ein und demselben Ereignis handeln. Angesichts der vielen Gemeinsamkeiten ist diese Frage m.E. zu bejahen. Nicht allein die synoptische Apokalypse, sondern auch die apokalyptische Rede im 2 Thess sind mit dem Aufstieg der Flavier in einem Zusammenhang zu sehen.

Ein deutlicher Unterschied zwischen den beiden Texten könnte eventuell weiterführen. Während im Mk–Text von vielen Christussen die Rede ist, handelt es sich in 2 Thess um einen einzigen gesetzlosen Menschen, der an die Stelle Gottes tritt und sich als Gott ausgibt. An keiner Stelle des 2 Thess ist die Rede von einer wiederholten, realisierten Parusie. Die Gemeinde, die der 2 Thess anspricht, ist lediglich mit einer einzigen realisierten Eschatologie konfrontiert. Dieser Sachverhalt könnte zu der Annahme führen, dass die apokalyptische Rede des 2 Thess in ihren Grundzügen vor der synoptischen Apokalypse in mk Form entstanden sein könnte. Jedenfalls ist wichtig, darauf hinzuweisen, dass die vielen Gemeinsamkeiten zwischen den beiden Texten (Mk 13 und 2 Thess 2) auch letzteren in die Nähe der Ereignisse im Zusammenhang mit dem Aufstieg des Vespasian rücken.

Da Mt 24 auf Mk 13 zurückgeht, decken sich viele sprachliche Gemeinsamkeiten zwischen Mk und 2 Thess mit denen zwischen Mt und 2 Thess. Was jedoch darüber hinausgeht, fällt auf:

Das Wort παρουσία, das in 2 Thess 2,1.8.9 vorkommt, wird auch in Mt 24 viermal verwendet (vv 3.27.37.39). Dass dieses für die Eschatologie zentrale Wort in beiden Texten begegnet, ist mehr als rein zufällig.

Genauso verhält es sich mit dem Wort ἀνομία, das sowohl in 2 Thess 2,3.7 als auch in Mt 24,12 begegnet. Dieses Wort wird dazu verwendet, die gesamte eschatologische Grundstimmung kompakt zum Ausdruck zu bringen.

---

[325] Eschatology, 470–485, dort 480. Für D. Wenham, Paulus. Jünger Jesu oder Begründer des Christentums (übersetzt von I. Broß-Gill), Paderborn 1999, 284–287, wird in 2 Thess 2 auf die in den Evangelien bezeugte Tradition, die bis auf Jesus zurückgeht, zurückgegriffen.

[326] Ähnlich wie Hartmann auch W. Trilling, 2 Thess, 114: »Auch die Berührungen mit Mk 13 parr vermögen keine literarische Abhängigkeit zu begründen, sondern weisen wohl nur auf die Verwandtschaft gemeinsamer urchristlicher Sprache in späterer Zeit hin. Dafür spricht eine größere Nähe zu Mt als zu Mk.«

Hinzu kommt das Wort ἀγάπη, welches in 2 Thess 2,10 und in Mt 24,12 erscheint.

Angesichts dieser sprachlichen Gemeinsamkeiten[327] ist festzustellen, dass die Ergebnisse unserer bisherigen Erörterungen in Verbindung mit diesen Beobachtungen eine hohe Wahrscheinlichkeit aufweisen.

Wenn das 5. Buch der OrSib, wie H. Giesen behauptet, aus den Jahren 71–74 n.Chr. stammen sollte,[328] hätten wir darin eine weitere Analogie zu unserer Lesart des 2 Thess. Denn dort wird erwartet, dass Gott gegen den König, der Alexandria und Jerusalem vernichtet hat, einen mächtigen König schicken wird, der eben jenen vernichten soll, und über alle Menschen Gericht halten wird (OrSib 5,93–110). Jener König, der ein Muttermörder und Betrüger ist, wird von Gott am Ende der Zeit ins Verderben geschickt.[329] Diese Vorstellungsgehalte sowie einige zusätzliche sprachliche Ähnlichkeiten, selbst wenn sie nicht exakt die gleichen Worte verwenden, könnten eventuell eine Nähe des Buches zum 2 Thess signalisieren. Die Entstehungszeit des Buches in den 70er Jahren ist allerdings umstritten.

2.10 Die Situation des Verfassers in seiner Umwelt (II): *Der Tag des Herrn ist schon da* (v2)

Im Zuge einer Betrachtung der Situation des Verfassers bzw. seiner Gemeinde in ihrer Umwelt ist die Frage unvermeidbar, wie es zu der Parole gekommen ist, der Tag des Herrn sei schon da (2 Thess 2,2).

Als Ausgangspunkt ist dabei die Frage zu wählen, was beim Tag des Herrn eigentlich unter »Herr« zu verstehen ist. Im 2 Thess taucht das Wort »Herr« 22mal auf. Interessant ist, dass das Wort sehr oft in Verbindung mit Jesus bzw. Jesus Christus steht, wobei das Wort »Herr« immer vorangestellt ist. Der Sinn dieser vorangestellten Verbindung ist m.E. einfach der, auszusagen, dass (der/unser) Herr Jesus (Christus) ist. Die nachgestellte Verbindung findet sich in der Literatur, die auf den echten Paulus zurückgeht, etwa 10mal (1Kor 1,9 ;9,1;15,31; Phil 3,8; 2Kor 4,5; Röm 1,4; 5,21;

---

[327] Die über Mk hinausgehenden Gemeinsamkeiten ermöglichen eventuell die Annahme, dass hinter 2 Thess jüdische Auswanderer aus Palästina nach dem Fall Jerusalems stehen könnten. Diese Annahme benötigt jedoch Untermauerung, die in dieser Arbeit nicht durchzuführen sind, weil es ein weiteres Thema darstellt.

[328] Die Offenbarung des Johannes, Regensburg 1997, 388. Dagegen stammt das Buch für M. Hengel, Messianische Hoffnung in der Diaspora, in: Judaica et Hellenistica, Kl. Schr., Bd.I, Tübingen 1996, 326–337, aus der Zeit des Kaisers Trajan. J.D. Gauger, Sibyllinische Weissagungen. Griechisch-Deutsch, Düsseldorf u.a. 1998, 454f, rechnet auf neutrale Art und Weise mit den Jahren 80–130 n.Chr. Angesichts dieser ausführlichen Darstellung des Jüdischen Krieges wird man doch nicht ganz ausschließen können, dass zumindest einige Teile des 5. Buches in der folgenden Zeit nach dem jüdischem Krieg, also etwa in den 70er Jahren entstanden sind.

[329] Giesen, Offenbarung, 361–373.

6,23;7,25; 8,39), in anderen Briefen des NT 6mal (Kol 2,6; Eph 3,11; 1 Tim 1,2.12; 2 Tim 1,2; 2 Petr 1,2).

Die vorangesetzte Verbindung deutet also an, dass es nicht um die Frage geht, wer *Jesus (Christus)* sei, sondern vielmehr darum, wer *unser Herr* ist. Dass Jesus unser Herr ist, wird in 2 Thess 1,8 (»dem Evangelium unseres Herrn Jesus«) sogar als Evangelium[330] bezeichnet.

Das Wort »Evangelium« im 2 Thess ist vom gleichen Wort bei Paulus unterschieden.[331] R.F. Collins machte zu Recht darauf aufmerksam, dass im 2 Thess im Zusammenhang mit dem Wort Evangelium jeder explizite Hinweis auf den Tod und die Auferstehung Jesu fehlt, wie sie bei Paulus zu finden ist.[332] Was es also mit diesem Wort im 2 Thess auf sich hat, ist einzig und allein von v1,8 her zu beantworten. Beinhaltet das Wort im 2 Thess das Unser–Herr–Sein Jesu, so geht dieses Verständnis wohl auf die Zeit zurück, in der sich das »Anti–Evangelium«[333] des Markus formiert hat.

Fragt man aber weiter, welche Konnotationen der Ausdruck »Herr« im 2 Thess besitzt, stößt man vor allem auf 1,7.12 sowie 2,1.8: Da ist die Rede von der Ruhe, die Christen erfahren, »wenn der *Herr Jesus* sich offenbaren wird vom Himmel her mit den Engeln seiner Macht« (1,7). Der Verfasser betet, »damit in euch verherrlicht werde der Name unseres *Herrn Jesus* und ihr in ihm, nach der Gnade unseres Gottes und des *Herrn* Jesus Christus« (1,12). Er belehrt sie über dessen Kommen: »Was nun das Kommen unseres *Herrn Jesus Christus* angeht und unsre Vereinigung mit ihm, so bitten wir euch, liebe Brüder [...]« (2,1). Charakteristisch für seine Erwartung des

---

[330] Vgl. U. Schnelle, Paulus, 456f: »Innerhalb der zeitgenössischen Enzyklopädie war der Terminus εὐαγγέλιον/εὐαγγέλια auch mit der Herrscherverehrung verbunden und hatte damit eine politisch-religiöse und faktisch anti-imperiale Konnotation.« Ferner Schnelle, ebd., über die Herkunft des Wortes: »Das Substantiv εὐαγγέλια wird in der Septuaginta ohne erkennbare theol. Füllung gebraucht, hingegen spielt es eine zentrale Rolle in der Herrscherverehrung.« Vgl. auch N.T. Wright, Paul's Gospel and Caesar's Empire, in: R.A. Horsley (Hg.), Paul and Politics, FS K. Stendahl, Harrisburg 2000, 160–183.

[331] Vgl. W. Marxsen, 2 Thess, 71: »Die auffällige Wendung ›Evangelium unseres Herrn Jesus‹ ist mit hoher Wahrscheinlichkeit eine Schöpfung unseres Verfassers. [...] Für diesen [Paulus s.c.] ist das Ev. eine wirkende Macht, so wie auch der Herr für ihn eine wirkende Macht ist. [...] Wenn dann bei Paulus vom Gehorsam gegenüber dem Ev. die Rede ist (Röm 10,16) oder auch vom Glaubensgehorsam (Röm 1,5), dann ist unter Gehorsam ein Sich–Ausliefern verstanden. Das aber ist bei unserem Verfasser anders, Gehorsam benutzt er im Sinne von befolgen. Jesus ist ja nicht deswegen der Herr, weil er selbst jetzt wirkt. Bis zu seiner Offenbarung bleibt er im Himmel (v7b). Dennoch kann Jesus als Herr bezeichnet werden, weil er sein Ev. gegeben hat, das die Menschen jetzt kennen können. [...] So ist für unseren Verfasser der Begriff Evangelium zu einer formelhaften Zusammenfassung für die ›Wahrheit‹ geworden, und diese Wahrheit ist selbst eine tradierbare Lehre (vgl. 2 Thess 2,15; 3,6).«

[332] Gospel, 439.

[333] Vgl. G. Theißen, Gospel Writing, 16.

kommenden Herrn ist der eschatologische Gegenspieler: »Und dann wird der Böse offenbart werden. Ihn wird der *Herr Jesus* umbringen mit dem Hauch seines Mundes und wird ihm ein Ende machen durch seine Erscheinung, wenn er kommt« (2,8).

Vor allem v1,7 macht deutlich, dass es sich bei diesem Herrn um den kommenden Weltherrscher handelt. Dieser Weltherrscher hat einen Gegenspieler, der letztlich von ihm beseitigt werden soll. Es geht in diesen Versen also darum, dass der Weltherrscher kommen wird und dieser kein anderer als Jesus (Christus) ist. Diese Konnotationen zum Wort »Herr« finden sich bereits im 1 Thess. Das Wort »Herr« taucht dort 24mal auf, davon 6mal (11mal) in Verbindung mit Jesus (Christus). Wie die Stellen 2,19; 3,13; 4,15ff; 5,2.23 zeigen, geht es auch hier um einen Herrn, der kommen wird: »Denn wer ist unsere Hoffnung oder Freude oder unser Ruhmeskranz – seid nicht auch ihr es vor unserem *Herrn Jesus*, wenn er kommt?« (2,19). Paulus betet »damit eure Herzen gestärkt werden und untadelig seien in Heiligkeit vor Gott, unserem Vater, wenn unser *Herr Jesus* kommt mit allen seinen Heiligen. Amen«(3,13). Dieser kommende Herr ist zugleich Richter (4,6). Auffallend ist, dass dieser Herr von den Thessalonichern als realer Herrscher verstanden wurde, der in Kürze kommen wird.[334]

Wenn darum in 2 Thess vom bereits gekommenen Tag des Herrn gesprochen wird, liegt es nahe, dass es sich hier um die Ankunft eines realen Weltherrschers handelt. Dieser reale Weltherrscher aber war nach der Meinung des 2 Thess ein falscher Weltherrscher. Es stellt sich daher die Frage, wo die Ankunft bzw. der Aufstieg eines mächtigen (Welt)Herrschers in Zusammenhang mit der Formulierung eines besonderen »Tages« markiert und gefeiert wurde.

Die Geschichten um Vespasian bieten m.E. eine angemessene Lösung. Wie oben bereits erwähnt, wurde Vespasian in Alexandrien in Abwesenheit seiner Person zum Imperator ausgerufen. Dies geschah, während Vitellius noch princeps war. Vespasian wurde vom Senat erst am 22. Dezember 69 n.Chr., zwei Tage, nachdem Vitellius getötet worden war, offiziell als princeps anerkannt. Allerdings wurde nicht dieser Tag als *dies imperii* gefeiert, sondern der 1 Juli 69 n.Chr. Es kann nicht oft genug wiederholt werden, dass dieser Tag in der Propaganda der Flavier ein wichtiges Element darstellte und verbunden mit den in Alexandrien geschehenen Wundern und Zeichen des Vespasian im ganzen Imperium gefeiert wurde. Es war der Tag des neuen Weltherrschers.[335]

---

[334] Für Yeo Khiok-Khng, Political Reading, 81 und Anm. 20, bezieht sich schon allein das Wort κύριος auf einen politischen Herrscher und damit die römischen Kaiser.

[335] Dass Vespasian auf diesem Tag als *dies imperii* bestand, hing wohl damit zusammen, dass an diesem Tag 30 v.Chr. die neue Zeitrechnung »Jahre der Herrschaft Caesars« zu Ehren des

Für uns ist nun wichtig zu überlegen, wie dieser *dies imperii* von den Christen in Makedonien aufgenommen und erlebt wurde, die doch ihrerseits auf einen ähnlichen Tag des Herrn warteten. Es ist durchaus vorstellbar, dass sie angesichts dieses überall groß gefeierten *dies imperii* in eine Glaubenskrise gerieten. Denn (1) wurde in der hellenistischen Welt der Herrscher als Gottheit und somit als Herr angesehen, und (2) gab es, wie bereits erwähnt, schon während des Jüdischen Krieges Umdeutungen der jüdischen Messiaserwartung auf Vespasian. Josephus schrieb:

Was sie aber zum Krieg aufstachelte, war eine zweideutige Weissagung, die sich ebenfalls in den heiligen Schriften fand, dass in jener Zeit einer aus ihrem Land über die bewohnte Erde herrschen werde. Dies bezogen sie auf einen aus ihrem Volk, und viele Weise täuschten sich in ihrem Urteil. Der Gottesspruch zeigt vielmehr die Herrscherwürde des Vespasian an, der in Judäa zum Kaiser ausgerufen wurde. (Bell. 6,312–313).

Es liegt daher nicht allzu fern, dass einige Christen beeinflusst von der Propaganda um den *dies imperii*[336] glaubten, der Tag des Herrn sei schon da.[337] Ob diese Stimmung und Einschätzung der Situation gnostisch geprägt war, ist nicht völlig auszuschließen, aber in unserem Zusammenhang unwichtig.[338] Entscheidend ist, dass in der für die Gemeinde relevanten Umwelt eine Erwartung eines heilvollen »Tags« und einer »Parusie« lebendig war, mit der sich die Christen auseinandersetzen mussten.[339]

Ferner spricht auch eine textinterne Beobachtung für unsere Annahme. Nachdem in v2 von der Behauptung gesprochen wurde, der Tag des Herrn

---

Octavian, der das große Vorbild des Vespasian war, eingeführt wurde (H. Bengtson, Kaiser Augustus. Sein Leben und seine Zeit, München 1981, 52).

[336] Diese Hypothese verdanke ich P. Lampe in Zusammenhang mit der neutestamentlichen Sozietätsdiskussion in Heidelberg vom 16. Januar 2004.

[337] Dass diese Christen, wie oft angenommen, die paulinische Lehre des 1 Thess missverstanden hatten, ist möglich. Vgl. z.B. A.G. v. Aarde, Struggle, 418–425.

[338] Vgl. W. Schmithals, Paulus und die Gnostiker, 146ff; W. Marxsen, 2 Thess. 53f, 79f; J.A. Bailey, Who wrote II Thessalonians?, NTS 25 (1979), 131–145, dort 142. W. Trilling nennt vier Kritikpunkte, Untersuchungen, 125f. (1) Die gnostische Deutung findet »keine Stützung durch andere ›gnostische‹ Erscheinungen oder Auffassungen« aus dem übrigen Brief, (2) »Der Brief müsste deutlicher werden lassen, dass es überhaupt um ›Irrlehrer‹ oder ›Irrlehren‹ geht, wie das in anderen neutestamentlichen Schriften geschieht (Kol, 1 und 2 Joh, 2 Petr, Jud, Apk, Past).« (3) Die Verben in 2,2f, besonders das Wort θροεῖσθαι sprechen dagegen, da sie sprachlich ins apokalyptische Umfeld gehören. (4) Der Tag des Herrn ist nicht zwangsläufig mit kosmischen Ereignissen verbunden, so dass nicht unbedingt eine spezifisch-gnostische Erscheinung daraus abgeleitet werden muss. Auch Bruce, Thess, 207.

[339] Eventuell kann eine Analogie zu diesen Christen gefunden werden. Nach dem jüdischen Krieg kam ein gewisser Jonathan, Weber von Beruf, nach Kyrene und führte seine dortigen Anhänger mit dem Versprechen in die Wüste, ihnen Wunder und Erscheinungen zu zeigen. Josephus, Bell. 7,437–442 (vgl. Theißen, Lokalkolorit, 275). Versteht man seine Unternehmung als realisierte Eschatologie, so haben wir hierin eine Analogie vorliegen. Man kann sie aber auch als extreme Naherwartung deuten.

sei bereits gekommen, wäre eigentlich zu erwarten, dass nun ausführlich auf diese gegnerische Position eingegangen und dabei mehr von den Gegnern erzählt werden würde. Dieses Vorgehen wäre umso mehr zu erwarten, als die bekämpfte Auffassung nach Ansicht vieler Exegeten den Anlass des Briefes darstellt. Diese Erwartung wird aber weder im zweiten Kapitel noch überhaupt im gesamten Brief erfüllt. An keiner Stelle finden wir auch nur die geringste Spur von diesen Gegnern. Diese begegnen allenfalls in der Auseinandersetzung mit den »Müßiggängern«, wobei eine große Unsicherheit darüber besteht, ob diese »Müßiggänger« überhaupt etwas mit der Ankunft des Tages des Herrn zu tun haben. Stattdessen finden sich scharfe Angriffe auf die Nicht-Glaubenden in 2,10–12.

Im Gegensatz dazu sind solche Stellungnahmen in anderen paulinischen Briefen meist zu finden. Im Gal lässt Paulus beispielsweise in 6,12f und 1,7 deutlich erkennen, wer die Gegner sind und welche Position sie vertreten. Auch im Phil greift Paulus seine Gegner in 3,2 direkt an. Und schließlich sind auch in der korinthischen Korrespondenz viele Stellen zu finden, an denen Paulus näher auf die Position seiner Gegner eingeht und diese angreift. Im Gegensatz zu diesen Formulierungen gestaltet es sich als äußerst schwierig, die Gegner des 2 Thess sowie ihre Position, die einzig in 2 Thess 2,2 sichtbar wird, deutlich zu markieren. Darüber hinaus kann man sich nur auf folgende Aussagen in 2 Thess 2,10–11 stützen: Der eschatologische Gegenspieler wird auftreten »[...] mit jeglicher Verführung zur Ungerechtigkeit bei denen, die verloren werden, weil sie die Liebe zur Wahrheit nicht angenommen haben, dass sie gerettet würden« (v10). Von den Gegnern wird gesagt: »Darum sendet ihnen Gott die Macht der Verführung, so dass sie der Lüge glauben« (v11). Es erwartet sie ein Gericht mit allen, »die der Wahrheit nicht glaubten, sondern Lust hatten an der Ungerechtigkeit« (v12).

Nimmt man aber an, dass der flavische *dies imperii* der ursprüngliche Grund für die Auseinandersetzung mit einer realisierten Erwartung gewesen ist, so sind die Angriffe auf die Nicht-Glaubenden in allen drei Versen und damit das scheinbare Fehlen des ausführlichen Eingehens auf die gegnerische Position erklärbar. Für die Gemeinde ist die Propaganda der Flavier für diesen *Abfall* verantwortlich. Die Propaganda ist Verführung! Da sie einer Lüge Glauben schenken, steht ihnen keine Rettung (v10), sondern einzig und allein das Gericht (v12) bevor. Dass die Gemeinde scharf gegen diese Verführung vorgeht, versteht sich von selbst. Die flavische Propaganda stellt für die missionarischen Bemühungen der Christen ein großes Hindernis dar. Diese Propaganda fand in der Bevölkerung breite Zustimmung und war somit einfluss- und erfolgreich, während der christliche Parusie-Glaube sogar von einigen Mitgliedern der Gemeinde in Frage gestellt wurde. Von daher wird verständlich, warum sich in 2 Thess 2 keine Angriffe gegen die Gegner finden, und stattdessen scharfe Worte gegen die Nicht-Glaubenden.

Exkurs IV: Das Verhältnis von Kap. 2 zu Kap. 1 im 2 Thess[340]

Unsere Auffassung, die eschatologische Rede des 2 Thess 2,1–12 als Aktualisierung des 1 Thess und somit im Licht der Naheschatologie zu verstehen, trägt übrigens dazu bei, das Verhältnis von Kap. 2 und Kap. 1 des 2 Thess und damit die gesamte Struktur des Briefes zu erhellen. Denn solange Kap. 2 als Korrektur der Naheschatologie des 1 Thess verstanden wird, ist das Verhältnis zwischen den beiden Kapiteln kaum zu klären. Während die Korrektur der Naherwartung das Hauptthema des zweiten Kapitels zu sein scheint, bietet Kap. 1 einen eschatologischen Ausblick als Trost für die bedrängte Gemeinde. Die Bedrängnisse und Verfolgungen, die der Verfasser seiner Einschätzung der Lage zufolge in Kap. 1 erwähnt, werden in v5 mit dem Gericht Gottes verbunden und dadurch als eschatologischer Ausblick in die Mitte der Diskussion gerückt. Die Täter werden in Bezug auf die Bedrängnisse und Verfolgungen entsprechend bestraft (v6), die Opfer und Leidenden werden in der Offenbarung des Herrn Ruhe finden (v7). Dieser eschatologische Ausblick wird ausgeweitet, indem in v8 unterstrichen wird, wem die Vergeltung des kommenden Herrn gilt, und indem in v10 verdeutlicht wird, was die Ankunft des Herrn konkret bewirkt. Der das Kapitel abschließende Vers betont noch einmal das eschatologische Ziel, nämlich die Verherrlichung (des Namens) des Herrn sowie der Glaubenden (v12). Die Leser werden also in Kap. 1 dazu ermutigt, ihre gegenwärtig bedrängte Lage eschatologisch zu verstehen und dementsprechend durch Hoffnung zu überwinden.

Die eschatologische Ausprägung des ersten Kapitels würde in Kap. 2 wie ein Fremdkörper wirken, wenn Kap. 2 so verstanden würde, als ob es die Dringlichkeit der eschatologischen Erwartung des ersten Kapitels nicht mehr vor Augen hätte und diese sogar zu bekämpfen suchte.[341] Dieser Widerspruch löst sich jedoch auf, wenn es gelingt, Kap. 2 anders zu verstehen, wie oben ausführlich versucht wurde. Unterstreicht Kap. 2 die gegenwärtige Gefahr, die Kaiser Vespasian darstellt, und damit die unmittelbare Nähe der eigentlichen Parusie des Herrn Jesus, so wirkt die eschatologische Ausprägung des Kap. 1 auch im Kontext von Kap. 2 durchaus passend. Ferner ist

[340] Vgl. M.J.J. Menken, The Structure of 2 Thessalonians, in: Correspondence, 373–382.

[341] Es ist für mich schwer verständlich, wenn L. Hartmann, Eschatology, 470–485, trotz dieses deutlichen Problems das Verhältnis der beiden Kapitel als harmonisch betrachtet, indem er die bedrängte Situation der Gemeinde betont, zugleich aber das eschatologische Problem als lediglich ein Randphänomen in diesem Zusammenhang zu betrachten sucht.

im Text zu beobachten, dass in v1,8 von der eschatologischen Vergeltung die Rede ist, die an denjenigen geübt werden soll, die Gott nicht erkennen und dem Evangelium des Herrn Jesus nicht gehorchen. Sie werden mit ewigem Verderben bestraft werden (v10). Kap. 2, genauer 2,9ff entnehmen wir, dass diejenigen, die die Liebe der Wahrheit nicht angenommen haben, verloren gehen (v10) und gerichtet werden (v12). Der Zeitpunkt dieses Geschehens der Beseitigung der Gesetzlosen ist die Endzeit. Der Zeitpunkt beider Ereignisse ist also ein und derselbe!

III. Schlusswort

Wie wir gesehen haben, ist 2 Thess 2,1–12 wahrscheinlich ein Dokument dafür, auf welche Art und Weise die Gemeinden Makedoniens mit dem Aufstieg der Flavier als neuer Weltherrscherdynastie konfrontiert wurden. Dass sie in Vespasian bzw. in Flavius den »Gesetzlosen« gesehen haben, zeigt, wie ernst sie an ihrer Tradition festgehalten haben. Wie Paulus sie einst gelehrt hatte, war die Naherwartung unter ihnen noch lebendig. Sie lebten in der Hoffnung, dass der Herr Jesus bald als Herrscher der Welt kommen werde, obwohl in der Zwischenzeit bereits viel geschehen war. Der Verfasser des Briefes macht das mit 2 Thess 2,15 klar: »[...] haltet die Überlieferung, die ihr gelehrt worden seid, sei es durch Wort oder durch unseren Brief.« Sowohl an der mündlichen Lehre des Paulus als auch an seinem ersten Brief hielten die Gemeinden in Makedonien fest. Für sie stellte die Tradition nicht etwas Vergangenes dar, sondern sie erlebten sie als gegenwärtige Größe, die weiterlebte.[1]

Von daher ist die verbreitete Annahme in der Exegese zu korrigieren, dass die Eschatologie des 2 Thess eine Korrektur des 1 Thess sei. Die eschatologische Rede des 2 Thess stellt keine Korrektur der paulinischen Naheschatologie des 1 Thess dar und kann schon gar nicht als Ersatz des 1 Thess gelesen werden. Vielmehr handelt es sich um eine Aktualisierung der paulinischen Naheschatologie angesichts der gegenwärtigen Lage der Gemeinde, und damit um eine Ergänzung des 1 Thess. Dass viele Elemente des ersten Briefes Aufnahme in den zweiten gefunden haben, ist ebenfalls in diesem Zusammenhang zu verstehen. Die Tradition soll fortgesetzt werden, indem vieles vom ersten Brief wiederaufgenommen wird.

Selbst in der Art und Weise, wie in Bezug auf die aktuelle Lage der Welt Stellung genommen wird, bleibt der Verfasser des zweiten Briefes der Tradition des Paulus treu. Im ersten Brief äußert sich Paulus zur damaligen politischen Situation, indem er z.B. in 5,3 die Parole des Römischen Reiches »Frieden und Sicherheit« kritisch erwähnt. Für ihn stellt der Kaiser

[1] Dies erklären B.J. Malina/J.H. Neyrey, Portraits of Paul. An Archaeology of Ancient Personality, Louisville, Kentucky 1996, 165f, mit folgenden Worten: »The best one might hope for is to try to live up to the model presented, that is, the social expectations to which one is socialized. Group-oriented people, then, tend to be oriented to the past and the hope to embody the traditions of their ancestors. They strive to imitate those great ones and to live up to the expectations created by those past cultural figures.«

Claudius eine Gefahr dar, was er in seinem Bild von den Wehen zum Ausdruck bringt, die jederzeit einsetzen können. Dies sagt er jedoch nicht direkt in expliziten Worten, weil das wahrscheinlich geahndet worden wäre. Der Verfasser des zweiten Briefes verfährt genauso. Den Aufstieg der Flavier betrachtet er kritisch, da diese für ihn die Offenbarung des Gesetzlosen verkörpern. Der Verfasser erwähnt dabei den Namen der Flavier niemals direkt, sondern macht lediglich indirekt deutlich, worum es ihm geht, indem er die Flavier mit ihren Merkmalen (z.B. vv9–12) beschreibt. Er hätte sich sicherlich vor Gericht verantworten müssen, wenn er Vespasian explizit den Widersacher genannt hätte.

Wie der weitere Geschichtsverlauf des römischen Reiches zeigt, hat sich auch die erneute apokalyptische Zeitdeutung des 2 Thess nicht so erfüllt, wie es der Verfasser erwartet hat. Die als von den Göttern ausgewählt propagierte Dynastie der Flavier ging nicht zur Zeit des Vespasian zu Ende, sondern erst mit Domitian. Das Ende der Dynastie aber geschah schließlich gewaltsam, wie es in 2 Thess 2,8 erwartet wurde. Der erste Sohn des Vespasian, Titus, wurde ausgerechnet von seinem Bruder vergiftet, und dieser, der letzte Flavier, Domitian, fiel einer Verschwörung zum Opfer. Die einst mit der Ewigkeit ihrer Dynastie prahlende Herrschaft überdauerte nicht einmal zwei Generationen.

Abschließend ordnen wir die Eschatologie des 2 Thess in die urchristliche Eschatologie ein. Diese Eschatologie ist seit Jesus davon bestimmt, dass sie Gegenwart und Zukunft verbindet. Schon in der Gegenwart beginnt etwas von der großen Zukunft, die erst mit Gottes Selbstdurchsetzung in der Welt in seinem Reich ein Ende findet. Aber diese Verbindung von »Schon« und »Noch Nicht« wurde sehr verschieden gestaltet. Manchmal überwog das »Schon«, manchmal das »Noch Nicht«, manchmal die Gegenwart, ein anderes Mal die Zukunft. Von Anfang an sahen sich aber alle Christen vor die Aufgabe gestellt, eine Verzögerung im Kommen des Gottesreiches und der Wiederkunft Christi zu bewältigen, ja man kann sagen, dass die Bewältigung einer solchen »Parusieverzögerung« schon bei Jesus beginnt. Sein Lehrer, der Täufer, hatte eine unmittelbare Naheschatologie vertreten, die nicht eingetreten war. Wahrscheinlich formulierte schon Jesus seine Botschaft vom verborgenen Beginn des Gottesreiches in der Gegenwart als Antwort auf das Problem, dass diese Naherwartung nicht in Erfüllung gegangen war.[2]

Eine sehr konsequente Verinnerlicherung der Eschatologie finden wir im JohEv vor. Was als äußeres Geschehen erwartet wird, ist schon im Innern

---

[2] So G. Theißen/A. Merz, Gerichtsverzögerung und Heilsverkündigung bei Johannes dem Täufer und Jesus, in: G. Theißen, Jesus als historische Gestalt. Beiträge zur Jesusforschung (Hg. von A. Merz), FRLANT 202, Göttingen 2003, 229–253.

des Menschen im Glauben geschehen – auch wenn deshalb die äußere Erfüllung nicht ausbleiben wird. Das ewige Leben, die Auferstehung, das Gericht sind schon hier und jetzt Realität (Joh 17,3; 5,24; 3,18).

Eine andere Lösung finden wir in den deuteropaulinischen Briefen: Hier finden wir eine räumliche Eschatologie, die sich über die zeitliche legt. Die neue Welt ist verborgen schon im Himmel präsent. Es kommt also alles darauf an, schon jetzt in den Himmel versetzt zu werden (Eph 2,6). Denn das wahre Leben der Christen ist mit Christus im Himmel verborgen (Kol 3,3). Im Himmel findet der zeitlose himmlische Kult statt, zu dem alle Christen durch ihren Hohepriester Jesus Zugang haben (Hebr).

Eine dritte Lösung wurde vom lk Doppelwerk entworfen: eine heilsgeschichtliche Eschatologie. Die ursprüngliche Erwartung, dass Jesus das Ende der Zeit ist, wird ersetzt durch die Erkenntnis, dass er die »Mitte der Zeit« ist.[3] Ihm voran geht eine Zeit der Erwartung, ihm folgt die Zeit der Kirche. Und in dieser Zeit haben die Christen eine positive Aufgabe: Sie sollen die ganze Welt missionieren.

Im 2 Thess begegnet uns eine vierte Lösung, die in der Kirchengeschichte immer wieder gekehrt ist: Die ursprüngliche Naherwartung flammt angesichts krisenhafter zeitgeschichtlicher Ereignisse neu auf. Dabei kommt es nicht darauf an, wie groß die Krise objektiv ist – sondern darauf, wie sie wahrgenommen und erlebt wird. Der Aufstieg der Flavier zur Macht wurde von vielen Menschen im Reich als eine Befriedung des Reiches nach den Bürgerkriegen nach Neros Tod erlebt. Für andere wie die kleine Minderheit der Christen aber war die Zeit eine Krisenzeit. Später wurde die Naherwartung noch einmal lebendig unter den Montanisten – und dann immer wieder in adventistischen Gruppen.

Trotz des Fehlschlags der apokalyptischen Zeitdeutung vermittelt der 2 Thess eine für uns relevante Intention. Es geht darum, den feindlichen Zeitgeist aufzuspüren und sich gegen ihn zu stellen, obwohl das für Christen Nachteile bedeuten kann. Apokalyptische Naherwartungen sind Oppositionserwartungen. Wer die Welt bald zu Ende gehen sieht, hat Gründe, sie zu Ende gehen zu lassen.

Die apokalyptische Zeitdeutung des Verfassers des 2 Thess stand am Anfang einer theologischen Entwicklung, die ihre Spitze am Ende des ersten Jahrhunderts erreicht hatte. Unabhängig davon, ob sich diese Zeitdeutung verwirklicht hat oder nicht, wirken die eschatologische Wachsamkeit des Verfassers sowie seine Bereitschaft zusammen mit den Christen seiner Gemeinde vorbildhaft zu leben, nicht nur bis heute, sondern auch bis in die Zukunft hinein, nach.

---

[3] H. Conzelmann, Die Mitte der Zeit. Studien zur Theologie des Lukas, BHTh 17, Tübingen 1954.

Literatur

I. Quellen

BAUER, A.: Apocolocyntosis. Die Verkürbissung des Kaisers Claudius, Reclam 7676, Stuttgart 1981.

CICERO, MARCUS TULLIUS: Atticus-Briefe. Lateinisch-deutsch (Hg. von H. CASTEN), München [3]1980.

CARY, E.: Dio's Roman History, LOEB Vol. VII, Cambrige Massachusetts u.a. 1968.

CREED, J.L.: Lactantius. De Mortibus Persecutorum, Oxford 1984.

GAUGER, J.D.: Sibyllinische Weissagungen. Griechisch-Deutsch, Düsseldorf u.a. 1998.

HELLER, E.: Tacitus Annalen, Bibliothek der Antike, Zürich u.a. 1982.

KOHNKE, F.W.: Philo von Alexandria. Die Werke in deutscher Übersetzung Bd. VII (Hg. L. COHN, I. HEINEMANN, M. ADLER UND W. THEILER), Berlin u.a. 1964.

MICHEL, O./BAUERNFEIND, O.: De Bello Judaico Der Jüdische Krieg, Bd. I/II, Darmstadt 1959/1963.

SENECA, L. ANNAEUS: Apokolokyntosis, Lateinisch-deutsch (Hg. von G. BINDER), Darmstadt 1999.

STAHR, A./KRENKEL, W.: Sueton Werke in einem Band. Kaiserbiographien über berühmte Männer, Berlin u.a. [2]1985.

TACITUS, P. CORNELIUS: Historien. Lateinisch-deutsch (Hg. von J. BORST unter Mitarbeit von H. HROSS UND H. BORST), München/Zürich [5]1984.

VIELHAUER, PH./STRECKER, G.: Die Himmelfahrt des Jesaja, in: W. SCHNEEMELCHER (Hg.), Neutestamentliche Apokryphen in deutscher Übersetzung, II Bd. Apostolisches, Apokalypsen und Verwandtes, Tübingen 1989.

WINKLER, G. (mit R.C. KÖNIG): Plinius Secundus d. Ä., Naturkunde Latein-Deutsch Bücher III/IV Geographie Europa, Darmstadt 1988.

II. Sekundärliteratur

AARDE, A.V.: The Struggle Against Heresy in the Thessalonian Correspondence and the Origin of the Apostolic Tradition, in: R. F. COLLINS (Hg.), The Thessalonian Correspondence, Leuven 1990, 418–425.

ALVAREZ CINEIRA, D.: Die Religionspolitik des Kaisers Claudius und die paulinische Mission, Herders biblische Studien Bd. 19, Freiburg u.a. 1999.

ASCOUGH, R.: Paul's Macedonian Associations. The social Context of Philippians and 1 Thessalonians, WUNT 2/161, Tübingen 2003.

ASKWITH, E.H.: »I« and »we« in the Thessalonian Epistles, in: Expositor 8,1 (1911), 149–151.

AUNE, D.E.: Revelation II, WBC 55B, Nashville 1998.

AUS, R.D.: God's Plan and God's Power. Isaiah 66 and the Restraining Factors of 2 Thess 2:6–7, in: JBL 96(1977), 537–553.

BAILEY, J.A.: Who wrote II Thessalonians?, in: NTS 25 (1979), 131–145.

BAMMEL, E.: Ein Beitrag zur paulinischen Staatsanschauung, in: TLZ 85 (1960), 837–840.

BARNEY, K.D.: The Hinderer, in: G. JONES (Hg.), Conference on the Holy Spirit Digest 2. Bd., Springfield, MO 1983, 263–268.

BARRETT, C.K./THORNTON, C.-J. (Hg.): Texte zur Umwelt des Neuen Testaments, UTB für Wissenschaft 1591, Tübingen [2]1991.

BAUER, D.: Das Buch Daniel, Neuer Stuttgarter Kommentar 22, Stuttgart 1996.

BAUMGARTEN, J.: Paulus und die Apokalyptik. Die Auslegung apokalyptischer Überlegungen in den echten Paulusbriefen, WMANT 44, Düsseldorf 1975.

BECKER, J.: Paulus. Der Apostel der Völker, Tübingen [2]1992.

BENDLIN, A./HERZ, P.: Art. Herrscherkult, in: RGG[4] Bd. 3, Tübingen 2000, 1691–1694.

BENGTSON, H.: Die Flavier. Vespasian, Titus, Domitian. Geschichte eines römischen Kaiserhauses, München 1979.

BENGTSON, H.: Kaiser August. Sein Leben und seine Zeit, München 1981.

BEST, E.: The First and Second Epistles to the Thessalonians, London u.a. 1972.

BIETENHARD, H.: Art. Κύριος κτλ., in: L. COEN (Hg.), Theologisches Begriffslexikon zum Neuen Testament Bd. 1, Wuppertal 1977, 926–933.

BLASS, F./DEBRUNNER, A./REHKOPF, F.: Grammatik des neutestamentlichen Griechisch, Göttingen [17]1990.

BORMANN, L.: Philippi. Stadt und die Christengemeinde zur Zeit des Paulus, STNT 78, Leiden u.a 1995.

BORNEMANN, W.: Die Thessalonicherbriefe, KEK, Göttingen 1894.

BRINGMANN, K.: Hellenistische Reform und Religionsverfolgung in Judäa. Eine Untersuchung zur jüdisch-hellenistischen Geschichte (175–163 v.Chr.), Göttingen 1983.

BRUCE, F.F.: 1 & 2 Thessalonians, WBC 45, New York 1982.

BÜLLESBACH, C.: Das Verhältnis der Acta Pauli zur Apostelgeschichte des Lukas. Darstellung und Kritik der Forschungsgeschichte, in: F.W. HORN (Hg.), Das Ende des Paulus. Historische, theologische, und literargeschichtliche Aspekte, BZNW 106, Berlin u.a. 2001, 215–238.

BURCHARD, Ch.: Der dreizehnte Zeuge. Traditions- und kompositionsgeschichtliche Untersuchungen zu Lukas. Darstellung der Frühzeit des Paulus, FRLANT 103, Göttingen 1970.

BUTTREY, T.V.: Documentary Evidence for the Chronology of the Flavian Titulature, Beiträge zur klassischen Philologie 112, Meisenheim am Glan 1980.

CHRIST, K.: Die römische Kaiserzeit. Von Augustus bis Diokletian, München [2]2004.

CLAUSS, K.: Kaiser und Gott. Herrscherkult im römischen Reich, Darmstadt 2001.

COLLINS, R.F.: »The Gospel of Our Lord Jesus« (2 Thess 1,8). A Symbolic Shift of Paradigm, in: R. F. COLLINS (Hg.), The Thessalonian Correspondence, Leuven 1990, 426–440.

COLLINS, R.F. (Hg.), The Thessalonian Correspondence, Leuven 1990.

CONZELMANN, H.: Die Mitte der Zeit. Studien zur Theologie des Lukas, BHTh 17, Tübingen 1954.

COWLES, H.: On ›The Man of Sin‹, 2 Thess. II.3–9, in: Bibliotheca Sacra 29 (1872), 623–640.

CRÜSEMANN, M.: Der zweite Brief an die Gemeinde in Thessalonich. Hoffen auf das gerechte Gericht Gottes, in: L. SCHOFFROFF/M. TH. WACKER (Hg.), Kompendium Feministische Bibelauslegung, Gütersloh [2]1999, 653–660.

DANKER, F./JEWETT, R.: Jesus as the Apokalyptic Benefactor in Second Thessalonians, in: R.F. COLLINS, The Thessalonian Correspondence, Leuven 1990, 486–498.

DIBELIUS, M.: Rom und die Christen im ersten Jahrhundert, in: R. KLEIN (Hg.), Das frühe Christentum im Römischen Staat, WdF 267, Darmstadt 1971, 47–105.

DIBELIUS, M.: An die Thessalonicher I–II. An die Philipper, HNT 11, 1911, [3]1937.

DONFRIED, K.P.: 2 Thessalonians and the Church of Thessalonika, in: DERS., Paul, Thessalonia and Early Christianity, New York u.a. 2002.

DONFRIED, K.P.: The Cults of Thessalonica and The Thessalonian Correspondence, in: NTS 31 (1985), 336–356.

ELLIGER, W.: Paulus in Griechenland. Philippi, Thessaloniki, Athen, Korinth, SBS 92/93, Stuttgart 1978.

ERNST, J.: Die eschatologischen Gegenspieler in den Schriften des Neuen Testaments, BU 3, Regensburg 1967.

EWALD, H.: Die Sendeschreiben des Apostels Paulus, Göttingen 1857.

FENSCHKE, W.: Paulus lesen und verstehen. Ein Leitfaden zur Biographie und Theologie des Apostels, Stuttgart 2003.

FITZMYER, J.A.: Romans. A new Translation with Introduction and Commentary, AnB 33, New York u.a. 1993.

FORD, J.M.: Revelation, AnB 38, New York u.a. 1975.

FRAME, J.E.: The Epistles of St. Paul to the Thessalonians, Edinburgh [3]1953.

FRIEDRICH, J./PÖHLMANN, W./STUHLMACHER, P.: Zur historischen Situation und Intention von Röm 13,1–7, in: ZTK 73 (1976), 131–166.

FURNISH, V.P.: II Corinthians, AnB 32A, New York u.a. 1984.

GIBLIN, CH.H.: 2 Thess 2 Re-read as Pseudepigraphal: A Revised Reaffirmation of the Threat to Faith, in: R.F. Collins, The Thessalonian Correspondence, Leuven 1990, 459–469.

GIBLIN, CH.H.: The Threat to Faith. An Exegetical and Theological Re-Examination of 2 Thessalonians 2, Romea 1967.

GIESEN, H.: Die Offenbarung des Johannes, Regensburg 1997.

GNILKA, J.: Paulus von Tarsus. Apostel und Zeuge, Freiburg 1996.

GUNDRY, R.H.: Correction in 2 Thess, in: DERS., The Church and the Tribulation. A Biblical Examination of Posttribulationism, Grand Rapids 1973, 112–128.

HAAG, E.: Daniel, Die Neue Echter Bibel 30, Würzburg 1993.

HAAG, E.: Das hellenistische Zeitalter. Israel und die Bibel im 4. bis 1. Jahrhundert v.Chr., Biblische Enzyklopädie 9, Stuttgart 2003.

HARRISON, J.R.: Paul and the Imperial Gospel at Thessaloniki, in: JSNT 25 (2002), 71–96.

HARTMANN, L.: The Eschatology of 2 Thessalonians as included in a communication, in: R.F. COLLINS, The Thessalonian Correspondence, Leuven 1990, 475–480.

HENDRIX, H.L.: Archaeology and Eschatology, in: B.A. PEARSON (Hg.), The Future of Early Christianity, FS. H. KOESTER, Minneapolis 1991, 107–118.

HENDRIX, H.L.: Thessalonicans Honor Romans, Diss., Harvard 1984.

HENGEL, M./SCHWEMER, A.M.: Paulus between Damascus and Antioch, Louisville 1997.

HENGEL, M.: Messianische Hoffnung in der Diaspora, in: Judaica et Hellenistica, Kl. Schr., Bd. I, Tübingen 1996, 326–337.

HOLLAND, G.S.: »A Letter supposedly from us«. A Contribution to The Discussion About The Authorship of 2 Thessalonians, in: R.F. COLLINS, The Thessalonian Correspondence, Leuven 1990, 394–402.

HOLLAND, G.S.: The Tradition That You have Received from Us. 2 Thessalonians in the Pauline Tradition, HUTh 24, Tübingen 1988.

HOLMAN, CH.L.: 2 Thessalonians 2 (The ›pauline Apocalypse‹), in: DERS., Till Jesus Comes. Origins of Christian Apokalyptic Expectation, Peabody, MA 1996, 103–110.

HOLTZMANN, H.J.: Lehrbuch der historisch-kritischen Einleitung in das Neue Testament, Freiburg [2]1886.

HOLTZMANN, H.J.: Zum zweiten Thessalonicherbrief, in: ZNW 2 (1901), 97–108.

HUGHES, F.W.: Early Christian Rhetoric and 2 Thessalonians, JSNT.S 30, Sheffield 1989.

HYLDAHL, N.: The History of Early Christianity, Frankfurt 1997.

JEWETT, R.: Dating Paul's Life, London 1979.

JEWETT, R.: The Thessalonian Correspondence. Paulin Rhetoric and Millenarian Piety (Foundations and Facet), Philadelphia 1986.

KERN, F.: Über 2. Thess 2,1–12. Nebst Andeutungen über den Ursprung des zweiten Briefes an die Thessalonicher, in: Tübinger Zeitschrift für Theologie 2 (1839), 145–214.

KOESTER, H.: Einführung in das Neue Testament. Im Rahmen der Religionsgeschichte und Kulturgeschichte der hellenistischen und römischen Zeit, Berlin u.a. 1980.

KOESTER, H.: From Paul's Eschatology to the Apocalyptic Schemata of 2 Thessalonians, in: R.F. COLLINS, The Thessalonian Correspondence, Leuven 1990, 441–458.

KOESTER, H.: Imperial Ideology and Paul's Eschatology in I Thessalonians, in: R.A. HORSLEY (Hg.), Paul and Empire. Religion and Power in Roman imperial Society, Harrisburg 1997, 158–166.

LAMPE, P.: Die stadtrömischen Christen in den ersten beiden Jahrhunderten. Untersuchungen zur Sozialgeschichte, WUNT 2/18, Tübingen 1989.
Langenscheidt Großwörterbuch Griechisch-Deutsch, [23]1979.
LAUB, F.: 1. und 2. Thessalonicherbrief, NEB 13, Würzburg 1985.
LAUB, F.: Paulinische Autorität in nachpaulinischer Zeit (2 Thes), in: R.F. COLLINS, The Thessalonian Correspondence, Leuven 1990, 401–417.
LEVICK, B.: Vespasian, London 1999.
LIGHTFOOT, J.B.: Notes on the Epistles of St. Paul, London 1895.
LILLIE, J.: The Epistles of Paul to the Thessalonians. Translated from the Greek with Notes, 1856.
LINDEMANN, A.: Zum Abfassungszweck des zweiten Thessalonicherbriefes, in: ZNW 68 (1977), 35–47.
LÜDEMANN, G.: Das Urchristentum, in: ThR 65 (2000), 121–179.
LÜDEMANN, G.: Paulus, der Gründer des Christentums, Lüneburg 2001.
LÜDEMANN, G.: Paulus, der Heidenapostel, Bd. I, Studien zur Chronologie, FRLANT 123, Göttingen 1980.
LÜNEMANN, G.: Kritisch-Exegetisches Handbuch über die Briefe an die Thessalonicher, Göttingen 1867.
MACKINTOSH, R.: The Antichrist of 2 Thess, in: Expositor 7,2 (1906), 427–432.
MACMULLEN, R.: Enemies of the Roman Order. Treason, Unrest, and Alienation in the Empire, London 1992 (ursprünglich Cambridge 1966).
MALALAS, JOHANNES, Ioannis Malalae Chronographia (L.A. DINDORF (Hg.)), Bonn 1832.
MALHERBE, A.: The Letters to the Thessalonians. A new Translation with Introduction and Commentary, AncB 32b, New York 2000.
MALINA, B.J./NEYREY, J.H.: Portaits of Paul. An Archaeology of Ancient Personality, Louisville, Kentucky 1996.
MANNSPERGER, D.: ROM. ET AVG., Die Selbstdarstellung des Kaisertums in der römischen Reichsprägung, in: ARNW II,1, Berlin/New York 1974, 919–996.
MARXSEN, W.: Der zweite Thessalonicherbrief, ZBK 11,2, Zürich 1982.
MATTINGLY, H.: Coins of the Roman Empire in the British Museum, Bd. II Vespasian to Domitian, London 1930.
MATTINGLY, H./SYNDENHAM, E.A.: The Roman Imperial Coinage II, London 1923.
MENKEN, M.J.J.: The Structure of 2 Thessalonians, in: R.F. COLLINS, The Thessalonian Correspondence, Leuven 1990, 373–382.
METZGER, P.: Katechon. II Thess 2,1–12 im Horizont apokalyptischen Denkens, Berlin u.a. 2005.
MICHAELIS, W.: Der zweite Thessalonicherbrief kein Philipperbrief, in: ThZ 1 (1945), 282–286.
MILLIGAN, G.: St. Paul's Epistles to the Thessalonians, London 1908.
MORENZ, S.: Vespasian, Heiland der Kranken. Persönliche Frömmigkeit im antiken Herrscherkult?, Würzburger Jahrbücher für die Altertumswissenschaft 4 (1949/50), 370–378.
MORRIS, L.: The First and Second Epistles to the Thessalonians, Grand Rapids 1959.
NEIL, W.: The Epistles of Paul To The Thessalonians, MNTC, London 1950.
O'CONNER, J.M.: A Critical Life of Paul, Oxford/New York 1996.
OEPKE, A.: Art. παρουσία κτλ., in: ThWNT Bd. 5, Stuttgart 1966, 856–869.
OEPKE, A.: Die Briefe an die Thessalonicher, NTD 8, Güttingen 1933.
ORCHARD, J.B.: Thessalonians and the Synoptic Gospels, in: Biblica 19 (1938), 19–42.
NICHOLL, C.: Michael, the Restrainer Removed (2 Thess 2:6–7), in: JThS 51 (2000), 27–53.
PESCH, R.: Die Apostelgeschichte, EKK Bd. V.2, Neukirchen u.a. 1986.
PETERSON, E.: Art. ἀπάντησις κτλ., in: ThWNT Bd. 1, Stuttgart 1953, 380.
PILHOFER, P.: Philippi. Die erste christliche Gemeinde Europas Bd. I, WUNT 87, Tübingen 1995.
POPKES, E.E.: Die Bedeutung des zweiten Thessalonicherbriefs für das Verständnis paulinischer und deuteropaulinischer Eschatologie, in: BZ 48 (2004), 39–64.
POPKES, W.: Zum Thema ›Anti-imperiale Deutung neutestamentlicher Schriften‹, TLZ 127 (2002), 850–862.

POWELL, CH.E.: The Identity of the Restrainer in 2 Thess 2:6–7, in: Bibliotheca Sacra 154 (1997), 320–332.
PRICE, S.R.F.: Rituals and Power. The Roman Imperial Cult in Asia Minor, Cambridge 1984 (reprinted 1998).
RADL, W.: Ankunft des Herrn, Zur Bedeutung und Funktion der Parusieaussagen bei Paulus, BET 15, Frankfurt 1981.
RIESNER, R.: Frühzeit des Apostels Paulus. Studien zur Chronologie, Missionsstrategie und Theologie, WUNT 56, Tübingen 1994.
SCHENKE, H.-M./FISCHER, K.M.: Einleitung in die Schriften des Neuen Testaments, I. Die Briefe des Paulus und Schriften des Paulinismus, Gütersloher 1978.
SCHMIDT, D.: The syntactical Style of 2 Thessalonians. How Pauline is it?, in: R.F. COLLINS, The Thessalonian Correspondence, Leuven 1990, 383–393.
SCHMIDT, M.G.: Claudius und Vespasian. Eine Interpretation des Wortes ›vae, puto, deus fio‹ (suet. Vesp. 23,4), in: Chiron 18 (1988), 83–89.
SCHMIDT, P.: Der erste Thessalonicherbrief. Nebst einem Excurs über den zweiten Gleichnamigen Brief, Berlin 1885.
SCHMIEDEL, P.W.: Die Briefe an die Thessalonicher und an die Korinther, [2]1892.
SCHMITHALS, W.: Paulus und die Gnostiker. Untersuchungen zu den kleinen Paulusbriefen, Hamburg-Bergstedt 1965.
SCHNELLE, U.: Paulus. Leben und Denken, Berlin u.a. 2003.
SCHWEIZER, E.: Der zweite Thessalonicherbrief ein Philipperbrief?, in: ThZ 1 (1945), 90–105.
SCHWEIZER, E.: Replik, in: ThZ 1 (1945), 286–289.
SCHWEIZER, E.: Zum Problem des zweiten Thessalonicherbriefes, in: ThZ 2 (1946), 74–75.
SCHWIER, H.: Tempel und Tempelzerstörung. Untersuchungen zu den theologischen und ideologischen Faktoren im ersten jüdisch-römischen Krieg (66–74), Freiburg (Schweiz) u.a. 1989.
SCOTT, K.: The Imperial Cult under Flavians, Stuttgart u.a. 1936.
SCRIBA, A.: Von Korinth nach Rom. Die Chronologie der letzten Jahre des Paulus, in: F.W. HORN (Hg.), Das Ende des Paulus. Historische, theologische, und literaturgeschichtliche Aspekte, BZNW106, Berlin u.a. 2001, 157–173.
SIMON, H.-G.: Historische Interpretationen zur Reichsprägung der Kaiser Vespasian und Titus, Diss. Phil., Marburg 1952.
SPITTA, P.: Der zweite Brief an die Thessalonicher, in: DERS., Zur Geschichte und Literatur des Urchristentums Erster Bd., Göttingen 1839, 109–154.
STEMBERGER, G.: Die Beurteilung Roms in der rabbinischen Literatur, in: ARNW II,19,2, Berlin/New York 1979, 338–396.
STEPHENSON, A.M.G.: On the Meaning of ἐνέστηκεν in 2 Thessalonians 2,2, in: Studia Evangelica Vol. IV (hg. von F.L. Cross), 443–451.
STICHELE, C.V.: The Concept of Tradition and 1 and 2 Thessalonians, in: R.F. COLLINS, The Thessalonian Correspondence, Leuven 1990, 499–504.
STROBEL, A.: Untersuchung zum eschatologischen Verzögerungsproblem auf Grund der spätjüdisch-urchristlichen Geschichte von Habakuk 2,2ff, in: NT.S 2, Leiden 1961.
TAJRA, H.W.: The Martyrdom of St. Paul, WUNT 2/67, Tübingen 1994.
THEISSEN, G.: Das Neue Testament, München 2002.
THEISSEN, G.: Gospel Writing and Church Politics. A Socio-rhetorical Approach, Hongkong 2001.
THEISSEN, G.: Lokalkolorit und Zeitgeschichte in den Evangelien. Ein Beitrag zur Geschichte der synoptischen Tradition, NTOA 8, Freiburg u.a. 1989.
THEISSEN, G./MERZ, A.: Gerichtsverzögerung und Heilsverkündigung bei Johannes dem Täufer und Jesus, in: G. THEISSEN, Jesus als historische Gestalt. Beiträge zur Jesusforschung (Hg. von A. MERZ), FRLANT 202, Göttingen 2003, 229–253.
TOURATSOGLOU, I.: Die Münzstätte von Thessaloniki in der Römischen Kaiserzeit (32/31 v.Chr. bis 268 n.Chr.), Berlin/New York 1988.
TRILLING, W.: Der zweite Brief an die Thessalonicher, EKK 14, Zürich u.a. 1980.
TRILLING, W.: Untersuchungen zum zweiten Thessalonicherbrief, EThSt 27, Leipzig 1972.

TROBISCH, D.: Die Entstehung der Paulusbriefsammlung. Studien zu den Anfängen christlicher Publizistik, NTOA 10, Freiburg u.a. 1989.

V. BROCKE, CH.: Thessaloniki – Stadt des Kassander und Gemeinde des Paulus. Eine frühe christliche Gemeinde in ihrer heidnischen Umwelt, Tübingen 2001.

V. DOBSCHÜTZ, E.: Die Thessalonicherbriefe, KEK, Göttingen 1909.

V. KOOTEN, G.H.: »Wrath will drip in the plains of macedonia«. Expectations of Nero's return in the Egyptian sibylline oracles (book 5), 2 Thessalonians, and ancient historical writings, in: A. HILHORST/G.H. VAN KOOTEN (Hg.), The Wisdom of Egypt. Jewish, Early Christian, and Gnostic Essays in Honor of GERALD P. LUTTIKHUIZEN, AJECh 59, Brill 2005, 177–215.

VIELHAUER, Ph.: Geschichte der urchristlichen Literatur. Einleitung in das Neue Testament, die Apokryphen und die Apostolischen Väter, Berlin u.a. 1975.

VIELHAUER, PH./STRECKER, G.: Einleitung, in: W. SCHNEEMELCHER (Hg.), Neutestamentliche Apokryphen II. Apostolische Apokalypsen und Verwandtes, Tübingen 1989, 491–547.

VIERNEISEL, K./ZANKER, P. (Hg.): Die Bildnisse des Augustus, Herrscherbild und Politik im kaiserlichen Rom, Müchen 1979.

WALTER, N./REINMUTH, E./LAMPE, P.: Die Briefe an die Philipper, Thessalonicher und an Philemon, NTD 8,2, Göttingen 1998.

WATERS, K.: The second Dynasty of Rome, Phoen 17 (1963), 198–218.

WEBER, W.: Josephus und Vespasian. Untersuchung zu dem jüdischen Krieg des Flavius Josephus, Berlin u.a. 1921.

WEINREICH, O.: Antikes Gottmenschentum, in: A. WLOSOK (Hg.), Römischer Kaiserkult, Darmstadt 1978, 55–81.

WEISS, B.: Die Paulinischen Briefe und der Hebräerbrief im Berichtigten Text, NTD II, Leipzig 1896.

WENGST, K.: Pax Romana. Anspruch und Wirklichkeit, Erfahrung und Wahrnehmung des Friedens bei Jesus und im Urchristentum, München 1986.

WENHAM, D.: Paulus. Jünger Jesu oder Begründer des Christentums (übersetzt von I. BROSS-GILL), Paderborn 1999.

WETTSTEIN, J.: Novum Testamentum Graecum, Tomus II, Graz-Austrai 1962 (unveränderter Abdruck der 1752 bei Dominikanern in Amsterdam erschienenen Ausgabe).

WILCKENS, U.: Der Brief an die Römer, EKK Bd. VI/3, Neukirchen-Vluyn u.a. 1982.

WOHLENBERG, G.: Der erste und zweite Thessalonicherbrief, KNT, Leipzig 1909.

WREDE, W.: Die Echtheit des zweiten Thessalonicherbriefs, Leipzig 1903.

WRIGHT, N.T.: Paul's Gospel and Caesar's Empire, in: R.A. HORSLEY (Hg.), Paul and Politics, FS K. STENDAHL, Harrisburg 2000, 160–183.

YEO KHIOK-KHNG: A Political Reading of Paul's Eschatology in I and II Thessalonians, in: AJTh 12 (1998), 77–89.

ZIETHEN, G.: Heilung und römischer Kaiserkult, Sudhoffs Archiv 78 (1994), 171–191.

Stellenregister (Auswahl)

Neues Testament

Neutestamentliche Apokryphen

Apostolische Väter